Après la pluie,
le beau temps

Édité par les Établissements Casterman, Tournai (Belgique)
Diffusion pour la France et l'Union Française :
Maison Casterman, 66, rue Bonaparte, Paris 6ᵉ

APRÈS LA PLUIE LE BEAU TEMPS

par

la Comtesse de Ségur

ILLUSTRATIONS
DE JOBBÉ-DUVAL

1955
CASTERMAN
PARIS — TOURNAI

APRÈS LA PLUIE LE BEAU TEMPS

I

LES FRAISES

GEORGES

Geneviève, veux-tu venir jouer avec moi? Papa m'a donné congé parce que j'ai très bien appris toutes mes leçons.

GENEVIÈVE

Oui, je veux bien; à quoi veux-tu jouer?

GEORGES

Allons dans le bois chercher des fraises.

GENEVIÈVE

Alors je vais appeler ma bonne.

GEORGES

Pourquoi cela? Nous pouvons bien aller seuls, c'est si près.

GENEVIÈVE

C'est que j'ai peur...

GEORGES

De quoi as-tu peur?

GENEVIÈVE

J'ai peur que tu ne fasses des bêtises, tu en fais toujours quand nous sommes seuls.

GEORGES

Je t'assure que je n'en ferai plus, ma petite Geneviève; nous cueillerons tranquillement des fraises; nous les mettrons sur des feuilles dans ton panier et nous les servirons à papa pour le dîner.

GENEVIÈVE

Oui! c'est très bien! c'est une bonne idée que tu as là. Mon oncle aime beaucoup les fraises des bois; il sera bien content.

GEORGES

Partons vite alors; ce sera long à cueillir. »

Georges se précipita hors de la chambre, suivi par Geneviève; tous deux coururent vers le petit bois qui était à cent pas du château. D'abord ils ne trouvèrent pas beaucoup de fraises; mais, en avançant dans le bois, ils en trouvèrent une telle quantité, que leur panier fut bientôt plein.

Enchantés de leur récolte, ils s'assirent sur la mousse pour couvrir de feuilles le panier; après quoi Geneviève pensa qu'il était temps de rentrer.

A peine avaient-ils fait quelques pas qu'ils entendirent la cloche sonner le premier coup du dîner.

« Déjà, dit Georges; rentrons vite pour ne pas être en retard.

GENEVIÈVE

Je crains que nous ne soyons en retard tout de

même, car nous sommes très loin. As-tu entendu comme la cloche sonnait dans le lointain?

GEORGES

Oui, oui. Pour arriver plus vite, allons à travers bois; nous sommes trop loin par le chemin.

GENEVIÈVE

Tu crois? mais j'ai peur de déchirer ma robe dans les ronces et les épines.

GEORGES

Sois tranquille; nous passerons dans les endroits clairs, sur la mousse. »

Geneviève résista encore quelques instants, mais, sur la menace de Georges de la laisser seule dans le bois, elle se décida à le suivre et ils entrèrent dans le fourré; pendant quelques pas ils marchèrent très facilement; Georges courait en avant, Geneviève suivait. Une ronce accrochait de temps en temps Geneviève, qui tirait sa robe et rattrapait Georges; bientôt les ronces et les épines devinrent si serrées que Georges lui-même passait difficilement. Geneviève avait déjà entendu craquer sa robe plus d'une fois, mais elle avançait toujours; enfin elle fut obligée de traverser un fourré si épais qu'elle se trouva dans l'impossibilité d'aller plus loin.

« Georges, Georges! cria-t-elle, viens m'aider; je ne peux pas avancer; je suis prise dans des ronces.

GEORGES

Tire ferme; tu passeras.

GENEVIÈVE

Je ne peux pas; les épines m'entrent dans les bras, dans les jambes. Viens, je t'en prie, à mon secours. »

Georges, ennuyé par les cris de détresse de Geneviève, revint sur ses pas. Au moment où il la rejoignit, le second coup de cloche se fit entendre.

GENEVIÈVE

Ah! mon Dieu! le second coup qui sonne. Et mon oncle qui n'aime pas que nous le fassions attendre. Oh! Georges, Georges, tire-moi d'ici; je ne puis ni avancer ni reculer. »

Geneviève pleurait. Georges s'élança dans le fourré, saisit les mains de Geneviève et, la tirant de toutes ses forces, il parvint à lui faire traverser les ronces et les épines qui l'entouraient. Elle en sortit donc, mais sa robe en lambeaux, ses bras, ses jambes, son visage même pleins d'égratignures. Aucun des deux n'y fit attention; le bois s'éclaircissait, le temps pressait; ils arrivèrent à la porte au moment où M. Dormère les appelait pour dîner.

Quand ils apparurent rouges, suants, échevelés, Geneviève traînant après elle les lambeaux de sa robe, Georges le visage égratigné et son pantalon blanc verdi par le feuillage qu'il lui avait fallu traverser avec difficulté, M. Dormère resta stupéfait.

M. DORMÈRE

D'où venez-vous donc? Que vous est-il arrivé?

GEORGES

Nous venons du bois, papa; il ne nous est rien arrivé.

M. DORMÈRE

Comment, rien? Pourquoi es-tu vert des pieds à la tête? Et toi, Geneviève, pourquoi es-tu en loques et égratignée comme si tu avais été enfermée avec des chats furieux? »

Georges regarde Geneviève et ne répond pas.

Geneviève baisse la tête, hésite et finit par dire : « Mon oncle,... ce sont les ronces,... ce n'est pas notre faute.

M. DORMÈRE

Pas votre faute? Pourquoi as-tu été dans les ronces? Pourquoi y as-tu fait aller Georges, qui te suit partout comme un imbécile? »

Geneviève espérait que Georges dirait à son père que ce n'était pas elle, mais bien lui qui avait voulu aller à travers bois. Georges continuait à se taire; M. Dormère paraissait de plus en plus fâché. Geneviève, espérant l'adoucir, lui présenta le panier de fraises et dit :

« Nous voulions vous apporter des fraises des bois, que vous aimez beaucoup, mon oncle. Si vous voulez bien en goûter, vous nous ferez grand plaisir.

M. DORMÈRE

Je ne tiens pas à vous faire plaisir, mademoiselle, et je ne veux pas de vos fraises. Emportez-les. »

Et d'un revers de main M. Dormère repoussa le panier, qui tomba par terre; les fraises furent jetées au loin. Geneviève poussa un cri.

M. DORMÈRE

Eh bien! allez-vous crier maintenant comme un enfant de deux ans? Laissez tout cela; allez vous débarbouiller et changer de robe. Viens dîner, Georges; il est tard. »

M. Dormère passa dans la salle à manger avec

Georges pendant que Geneviève alla tristement retrouver sa bonne, qui la reçut assez mal.

LA BONNE

Encore une robe déchirée! Mais, mon enfant, si tu continues à déchirer une robe par semaine, je n'en aurai bientôt plus à te mettre, et ton oncle sera très mécontent.

GENEVIÈVE

Pardon, ma bonne; Georges a voulu revenir à travers le bois; les ronces et les épines ont déchiré ma robe, ma figure et mes mains. Et mon oncle m'a grondée.

LA BONNE

Et Georges?

GENEVIÈVE

Il n'a rien dit à Georges; il l'a emmené dîner.

LA BONNE

Mais est-ce que Georges n'a pas cherché à t'excuser?

GENEVIÈVE

Non, ma bonne; il n'a rien dit.

— C'est toujours comme ça, murmura la bonne; c'est lui qui fait les sottises, elle est grondée, et lui n'a rien. »

Pélagie débarbouilla le visage saignant de Geneviève, lui enleva quelques épines restées dans les égratignures, la changea de robe et l'envoya dans la salle à manger.

Au dessert on servit des fraises du potager; elle regarda son oncle.

M. DORMÈRE, *avec ironie*.

Vous voyez, mademoiselle, qu'on n'a pas besoin de votre aide pour avoir des fraises qui sont bien meilleures que les vôtres.

GENEVIÈVE

Je le sais bien, mon oncle, mais nous avons pensé que vous préfériez les fraises des bois.

M. DORMÈRE

Pourquoi dites-vous *nous*? Vous cherchez toujours à mettre Georges de moitié dans vos sottises.

GENEVIÈVE

Je dis la vérité, mon oncle. N'est-ce pas, Georges, que c'est toi qui m'as demandé d'aller dans le bois chercher des fraises?

GEORGES, *embarrassé*.

Je ne me souviens pas bien. C'est possible.

GENEVIÈVE

Comment, tu as oublié que...?

M. DORMÈRE, *impatienté*.

Assez, assez; finissez vos accusations, mademoiselle. Rien ne m'ennuie comme ces querelles, que vous recommencez chaque fois que vous avez fait une sottise qui vous fait gronder. »

Geneviève baissa la tête en jetant un regard de reproche à Georges; il ne dit rien, mais il était visiblement mal à l'aise et n'osait pas regarder sa cousine.

II

LA VISITE

Après le dîner, M. Dormère se retira au salon et se mit à lire ses journaux qu'il n'avait pas achevés; les enfants restèrent dehors pour jouer. Mais Geneviève était triste; elle restait assise sur un banc et ne disait rien. Georges allait et venait en chantonnant; il avait envie de parler à Geneviève, mais il sentait qu'il avait été lâche et cruel à son égard.

Pourtant, comme il s'ennuyait, il prit courage et s'approcha de sa cousine.

« Veux-tu jouer, Geneviève ?

GENEVIÈVE

Non, Georges, je ne jouerai pas avec toi : tu me fais toujours gronder.

GEORGES

Je ne t'ai pas fait gronder : je n'ai rien dit.

GENEVIÈVE

C'est précisément pour cela que je suis fâchée contre toi. Tu aurais dû dire à mon oncle que c'était toi qui étais cause de tout, et tu m'as laissé accuser et gronder sans rien dire. C'est très mal à toi.

GEORGES

C'est que..., vois-tu, Geneviève,... j'avais peur d'être grondé aussi; j'ai peur de papa.

GENEVIÈVE

Et moi donc? J'en ai bien plus peur que toi. Toi tu es son fils, et il t'aime. Moi, il ne m'aime pas, et je ne suis que sa nièce.

GEORGES

Oh! Geneviève, je t'en prie, pardonne-moi; une autre fois je parlerai; je t'assure que je dirai tout.

GENEVIÈVE

Tu dis cela maintenant! tu as dit la même chose le jour où le renard a déchiré ma robe avec ses dents. Je ne te crois plus.

GEORGES

Ma petite Geneviève, je t'en prie, crois-moi et viens jouer. »

Geneviève, un peu attendrie, était sur le point de céder, quand une voiture parut dans l'avenue et, arrivant au grand trot, s'arrêta devant le perron.

Une jeune dame élégante descendit de la calèche, suivie d'une petite fille de huit ans, de l'âge de Geneviève, d'un petit garçon de douze ans, de l'âge de Georges, et d'une grosse petite dame d'environ trente ans, laide, couturée de petite vérole, mais avec une physionomie aimable et bonne qui la rendait agréable.

Ce fut elle qui s'approcha la première de Geneviève.

« Bonjour, ma petite; comme vous êtes gentille! Où est donc votre oncle? Bonjour, Georges. Ah! comme vous voilà vert! Une vraie perruche! Vert de la tête aux pieds. Comment vous laisse-t-on habillé si drôlement? Ha, ha, ha! Viens donc voir, Cornélie. Un vrai gresset. Vois donc, Hélène; ne va pas te mettre comme cela, au moins. »

Mᵐᵉ de Saint-Aimar s'approcha à son tour, embrassa Georges très affectueusement et dit : « Mais il est très gentil comme cela! A la campagne, est-ce qu'on fait dix toilettes par jour? C'est très bien de ne pas avoir de prétentions; il sera tombé dans l'herbe probablement.

GENEVIÈVE

Non, madame, c'est en m'aidant à me tirer des ronces qui me déchiraient, que le pauvre Georges s'est sali et un peu écorché.

MADAME DE SAINT-AIMAR

Comme c'est gentil ce que vous dites-là, Geneviève. Vois, Louis, comme elle est généreuse; comme elle excuse gentiment ceux qu'elle aime! Charmante enfant! »

Elle embrassa encore Geneviève et entra avec sa grosse cousine dans le salon.

« Bonjour, cher monsieur, dit-elle en tendant la main à M. Dormère. Nous venons d'embrasser vos enfants; ils sont charmants.

MADEMOISELLE PRIMEROSE

Bonjour, mon cousin. Quelle drôle de mine a votre garçon! Comment la bonne le laisse-t-elle arrangé en gresset? Voulez-vous que j'aille la chercher pour le rhabiller?

La cousine Primerose, sans attendre la réponse de M. Dormère, sortit du salon et monta lestement chez la bonne.

MADEMOISELLE PRIMEROSE

Bonjour, ma chère Pélagie; je viens vous avertir que Georges n'est pas tolérable avec ses habits tout verts. Il faut que vous le fassiez changer de tout; la petite est très propre; vous la soignez celle-là, c'est bien; mais vous négligez trop le garçon; il est tout honteux de sa verdure; il ne lui manque que des plumes pour être perruche ou perroquet.

PÉLAGIE

Je ne savais pas, mademoiselle, que Georges eût besoin d'être changé. La petite était rentrée avec sa robe en lambeaux, mais Georges n'est pas venu.

MADEMOISELLE PRIMEROSE

Ah! pourquoi cela?

PÉLAGIE

Je n'en sais rien, mais je vais le chercher.

MADEMOISELLE PRIMEROSE

J'y vais avec vous, ma bonne Pélagie; nous lui ferons raconter la chose. »

Mlle Primerose, enchantée d'apprendre du nouveau pour en faire quelque commérage, descendit l'escalier plus vite que la bonne et parut au milieu des enfants, qui jouaient au croquet.

« Venez vite, cria-t-elle à Georges; votre bonne vous cherche pour vous habiller. Mais venez donc; vous nous raconterez ce qui vous est arrivé.

GEORGES

Il ne m'est rien arrivé du tout; je n'ai rien à raconter, ma cousine.

MADEMOISELLE PRIMEROSE

Si j'en crois un mot, je veux bien être pendue. Va, va t'habiller; nous nous passerons bien de toi, mon garçon. Je vais prendre ton jeu au croquet; et sois tranquille, je te gagnerai ta partie. »

Georges, étonné et ennuyé, obéit pourtant à la bonne, qui l'appelait. Pendant sa courte absence, Mlle Primerose ne perdit pas son temps; en jouant au croquet aussi lourdement et maladroitement que le faisait supposer sa grosse taille, elle questionna habilement Geneviève et apprit ainsi ce qui s'était passé, excepté le mécontentement de M. Dormère et le vilain rôle qu'avait joué Georges en présence de son père.

Quand Georges revint, elle lui remit son maillet de croquet.

MADEMOISELLE PRIMEROSE

Je n'ai pas eu de bonheur, mon ami; j'ai perdu votre partie. Mais j'ai gagné à votre absence de savoir toute votre aventure du bois et des fraises. »

Georges devint très rouge; il lança un regard furieux à la pauvre Geneviève. Mlle Primerose retourna au salon, pendant que les enfants recommençaient une partie de croquet.

« Mon cher cousin, dit-elle en entrant au salon, je

viens justifier le pauvre Georges; je sais toute
l'histoire : il ne mérite pas d'être grondé pour avoir
sali ses habits; au contraire, il mérite des éloges, car
c'est en secourant Geneviève, qui ne pouvait sortir
des ronces où elle était imprudemment entrée, qu'il
s'est verdi à l'état de gresset.

M. DORMÈRE

Je le sais, ma cousine, et je n'ai pas grondé
Georges.

MADEMOISELLE PRIMEROSE

Mais... qui avez-vous donc grondé, car vous avez
grondé quelqu'un?

M. DORMÈRE

J'ai grondé Geneviève, qui méritait d'être grondée.

MADEMOISELLE PRIMEROSE

Qu'a-t-elle donc fait, la pauvre fille?

M. DORMÈRE

C'est elle qui a poussé, presque obligé Georges à
entrer dans le bois pour manger des fraises, comme si
elle n'en avait pas assez dans le jardin, et plus tard
c'est elle qui a voulu revenir au travers des ronces.

MADEMOISELLE PRIMEROSE

Ta, ta, ta. Qu'est-ce que vous dites donc, mon
pauvre cousin; c'est au contraire elle qui ne voulait
pas, et c'est Georges qui l'a voulu. Je vois que vous
n'êtes pas bien informé de ce qui se passe chez vous.
Moi qui suis ici depuis une demi-heure, je suis plus
au courant que vous.

M. DORMÈRE

Me permettez-vous de vous demander, ma cousine,
par qui vous avez été si bien informée?

MADEMOISELLE PRIMEROSE

Par Geneviève elle-même.

M. DORMÈRE

Je ne m'étonne pas alors que l'histoire vous ait été
contée de cette manière; Geneviève a toujours le triste
talent de tout rejeter sur Georges.

MADEMOISELLE PRIMEROSE

Mais au contraire; elle a parlé de Georges avec
éloge, avec grand éloge, et si je vous en ai parlé, c'est
qu'elle m'avait avoué que vous n'étiez pas content et
je croyais que c'était Georges que vous aviez grondé.
Et par le fait il le méritait un peu, quoi qu'en dise
Geneviève. »

M. Dormère, un peu surpris, ne répondit pas, pour
ne pas accuser Georges, dont il comprit enfin le
silence. Mlle Primerose retourna près des enfants pour
tâcher de mieux éclaircir l'affaire, qui lui semblait un
peu brouillée du côté de Georges.

Elle trouva Geneviève en larmes; Georges boudait
dans un coin; Louis et Hélène cherchaient à consoler
Geneviève.

MADEMOISELLE PRIMEROSE

Eh bien! eh bien! qu'y a-t-il encore? qu'est-ce que
c'est?

— Ce n'est rien, ma cousine; je me suis fait mal à
la jambe, répondit Geneviève en essuyant ses larmes.

MADEMOISELLE PRIMEROSE

Et pourquoi Georges boude-t-il tout seul près du
mur?

HÉLÈNE

Parce que, Louis et moi, nous lui avons dit qu'il

était un méchant et que nous ne voulions plus jouer avec lui.

MADEMOISELLE PRIMEROSE

Pourquoi lui avez-vous dit cela?

LOUIS

Parce qu'après avoir dit beaucoup de choses désagréables à la pauvre Geneviève, qui ne lui répondait rien, il lui a donné un grand coup de maillet dans les jambes. Hélène et moi, nous nous sommes fâchés; nous avons chassé Georges et nous sommes revenus consoler la pauvre Geneviève qui pleurait.

MADEMOISELLE PRIMEROSE

Méchant garçon, va! Tu mériterais que j'aille raconter tout cela à ton père, qui te croit si bon.

GENEVIÈVE, *effrayée.*

Non, non, ma cousine, ne dites rien à mon oncle : il punirait le pauvre Georges.

MADEMOISELLE PRIMEROSE

Punir Georges! ton oncle! Laisse donc! il le gronderait à peine.

GENEVIÈVE

Et puis, ma cousine, Georges n'a pas fait exprès de me taper. J'étais trop près de sa boule, et il m'a attrapé la jambe au lieu de la boule.

MADEMOISELLE PRIMEROSE

Ça m'a l'air d'une mauvaise excuse. Voyons, Georges, parle; est-ce vrai ce que dit Geneviève?

GEORGES, *très bas.*

Oui, ma cousine.

MADEMOISELLE PRIMEROSE

Alors pourquoi n'es-tu pas venu l'embrasser et lui demander pardon?

GEORGES

Je n'ai pas eu le temps; Louis et Hélène se sont jetés sur moi en me disant : « Méchant, vilain, va-t'en! » Et ils m'ont chassé.

MADEMOISELLE PRIMEROSE

Tant mieux pour toi si tu dis vrai. Et si tu mens, tu es encore plus méchant que ne le croient Louis et Hélène. Allons, embrassez-vous et que tout soit fini. »

Geneviève alla au-devant de Georges qui s'approchait d'elle pour l'embrasser; et la cousine, au lieu de retourner au salon, monta chez la bonne pour la questionner sur Georges, dont elle commençait à n'avoir pas très bonne opinion.

Une heure après, Mme de Saint-Aimar demanda sa voiture et partit avec Mlle Primerose, Louis et Hélène. M. Dormère accompagnait ces dames.

MADAME DE SAINT-AIMAR

Ainsi donc, à après-demain; nous vous attendons à déjeuner avec vos enfants; soyez exact : à onze heures et demie.

M. DORMÈRE

Je n'y manquerai pas, chère madame. Adieu, ma cousine.

MADEMOISELLE PRIMEROSE

Adieu, mon cousin; et soyez de plus belle humeur : aujourd'hui vous avez l'air d'un pacha qui va faire couper des têtes.

MADAME DE SAINT-AIMAR

Quelles idées vous avez, Cunégonde. M. Dormère a, comme toujours, l'air aimable et bon.

MADEMOISELLE PRIMEROSE

Surtout dans ce moment-ci, où il fronce le sourcil comme un sultan. »

III

ENCORE LES FRAISES

Le surlendemain, la bonne mit aux enfants leurs beaux vêtements; ils avaient encore une heure à attendre : Geneviève se mit à lire et Georges s'amusait à ouvrir tous les tiroirs de sa cousine et à examiner ce qu'ils contenaient. En ouvrant une petite armoire il poussa une exclamation de surprise.

GEORGES

Geneviève, viens voir; nous ne comprenions pas pourquoi cela sentait si bon ici; le panier de fraises d'avant-hier est enfermé dans ton armoire de poupée. »

Geneviève accourut et trouva en effet les fraises un peu écrasées, mais proprement rangées sur des feuilles dans le panier.

GENEVIÈVE

Tiens! Qui est-ce qui a mis ces fraises dans ce tiroir?

Et comment sont-elles dans le panier, puisque mon oncle les a jetées par terre? Ma bonne, sais-tu qui les a apportées et serrées là dedans?

LA BONNE

Oui, et j'ai oublié de te le dire. C'est Julie, la fille de cuisine; elle passait devant la porte juste au moment où Monsieur a jeté le panier. Quand il est entré avec Georges dans la salle à manger, elle a pensé que vous seriez bien aises de les retrouver; elle les a proprement ramassées avec une cuiller, ce qui a été facile à faire, puisque le panier était tombé sens dessus dessous avec les fraises; elle n'a laissé que celles qui se sont trouvées écrasées et qui touchaient au pavé; elle a tout nettoyé et elle me les a données quand j'ai été dîner.

GENEVIÈVE

Oh! merci, ma bonne. Comme Julie est bonne! Dis-lui que je la remercie bien.

GEORGES

Nous allons les manger.

GENEVIÈVE

Non, pas à présent; cela nous empêcherait de déjeuner chez Mme de Saint-Aimar.

GEORGES

Quelle bêtise! Comment des fraises nous empêche-raient-elles de déjeuner?

GENEVIÈVE

Je ne sais pas; mais tu sais que mon oncle nous défend de manger si tôt avant les repas.

GEORGES

Mais pas des fraises. Voyons, je commence. »

Et Georges en prit avec ses doigts une pincée, qu'il mit dans sa bouche.

GEORGES

Excellentes! Je n'en ai jamais mangé de si bonnes. A ton tour.

GENEVIÈVE

Non; je t'ai dit que je n'en mangerai pas.

GEORGES

Tu en mangeras. Je te les ferai manger.

GENEVIÈVE

Je te dis que non.

GEORGES

Je te dis que si. »

Georges en prit une seconde pincée et voulut les mettre de force dans la bouche de Geneviève, qui se mit à courir en riant. Georges l'attrapa et lui mit dans la bouche ouverte les fraises qu'il tenait; elle voulut les cracher, mais Georges lui ferma la bouche avec sa main; elle fut obligée de les avaler; Georges mangea le reste des fraises, ses mains en étaient pleines; il se lava la bouche et les mains; à peine avait-il fini, que M. Dormère les appela. Georges descendit en courant. Geneviève saisit son chapeau et le suivit de près. M. Dormère inspecta d'abord la toilette de Georges et la trouva très bien. Il examina ensuite celle de Geneviève.

Au premier coup d'œil il aperçut les traces des fraises.

M. DORMÈRE

Qu'est-ce que cela? Tu en as donc mangé?

GENEVIÈVE

Non, mon oncle; je n'ai pas voulu en manger.

M. DORMÈRE

Tu mens joliment, ma chère amie. Pourquoi alors
as-tu des taches de fraises sur ta figure, sur tes mains,
sur ta robe même?

— Mon oncle, je vous assure, dit Geneviève les
larmes aux yeux, que je ne voulais pas en manger.
C'est Georges qui...

M. DORMÈRE

Bon, voilà encore Georges que tu vas accuser. Tu
ne me feras pas croire que lorsque je vois ta bouche,
tes mains, ta robe tachées de fraises, c'est Georges qui
les a mangées. J'ai défendu qu'on mangeât avant les
repas. Tu m'as désobéi; tu mens par-dessus le
marché; tu accuses ce pauvre Georges; tu vas être
punie comme tu le mérites. Voici la voiture avancée;
remonte dans ta chambre, je n'emmène que
Georges. »

M. Dormère monta en voiture avec son fils, et la
voiture partit pendant que la malheureuse Geneviève
pleurait à chaudes larmes dans le vestibule. Au bout
de quelques instants elle remonta chez sa bonne.

« Qu'y a-t-il encore, ma pauvre enfant? » s'écria
la bonne en allant à elle et l'embrassant. Geneviève
se jeta dans les bras de sa bonne et sanglota sans
pouvoir parler. Enfin elle se calma un peu et put
raconter ce que lui avait dit son oncle.

LA BONNE

Et Georges n'a pas expliqué à ton oncle que c'était

lui qui avait tout fait et que c'est lui qui t'a mis de
force les fraises dans la bouche pendant que tu riais?

GENEVIÈVE

Non, ma bonne; il n'a rien dit.

LA BONNE

Et pourquoi n'as-tu pas expliqué toi-même à ton
oncle comment les choses s'étaient passées?

GENEVIÈVE

Je n'ai pas eu le temps; j'ai été saisie; et mon oncle
est monté en voiture avant que j'aie pu lui dire un mot.

LA BONNE

Pauvre petite! Ne t'afflige pas trop; nous tâcherons
de passer une bonne matinée, meilleure peut-être que
celle de Georges.

GENEVIÈVE

C'est impossible, ma bonne; j'aurais tant aimé voir
Louis et Hélène! Ils sont si bons pour moi! Quand
pourrai-je les voir maintenant? Pas avant huit jours
peut-être.

LA BONNE

Dès demain je t'y mènerai en promenade pendant
que Georges prendra ses leçons avec son père. Et puisque tu les aimes tant, je t'y mènerai souvent; mais
n'en dis rien à Georges, parce qu'il voudrait nous
accompagner et qu'il obtiendrait un congé de son
père. Nous allons déjeuner à présent; je vais demander
à la cuisinière de te faire des crêpes; et, en attendant
le déjeuner, allons chercher des fraises au potager. »

Geneviève, à moitié consolée, se déshabilla, mit sa
robe de tous les jours et descendit avec sa bonne. Elles
cueillirent des fraises superbes; le jardinier donna à

Geneviève des cerises qu'il avait cueillies le matin; elle fit un excellent déjeuner avec sa bonne; un bifteck aux pommes de terre, des œufs frais, des asperges magnifiques et des crêpes; au dessert, elle mangea des fraises et des cerises, qu'elle partagea avec sa bonne.

Elle sortit ensuite; elle s'amusa à cueillir des fleurs et à faire des bouquets pendant que sa bonne travaillait près d'elle.

Quand Geneviève revint à la maison, elle trouva Georges et son père rentrés.

IV

LA BONNE SE PLAINT DE GEORGES

M. Dormère ne parla pas à Geneviève de ce qui s'était passé le matin; il fut avec elle froid et sévère, comme toujours; avec Georges il fut au contraire plus affectueux que d'habitude. Après avoir fait une petite promenade dans le potager et la basse-cour, il dit à Georges d'aller jouer avec sa cousine.

Georges, qui craignait les reproches que pouvaient lui faire Geneviève et sa bonne, demanda à son père de rester avec lui.

« Tu es bien aimable, mon ami, de préférer ma société à celle de ta cousine, mais j'ai à travailler, et je veux être seul », répondit M. Dormère en l'embrassant.

Georges alla donc, quoique avec répugnance, rejoindre Geneviève. Elle lisait et n'interrompit pas sa lecture; la bonne ne lui dit rien non plus, elle continua à travailler.

Georges s'assit et bâilla. Quelques instants après, il bâilla encore avec bruit et poussa un profond soupir. Enfin il se décida à parler.

« Tu n'es guère aimable aujourd'hui », dit-il à Geneviève.

Il n'obtint aucune réponse; elle lisait toujours.

GEORGES

Tu es donc décidée à rester muette?

GENEVIÈVE

Très décidée.

GEORGES

Et pourquoi cela?

GENEVIÈVE

Pour être moins exposée à tes méchancetés.

GEORGES

Quelles méchancetés t'ai-je faites?

GENEVIÈVE

Je n'ai pas besoin de t'apprendre ce que tu sais aussi bien que moi.

GEORGES

Je sais que papa n'a pas voulu t'emmener parce que tu étais sale.

GENEVIÈVE

Et pourquoi étais-je sale?

GEORGES

Parce que tu n'as pas eu l'esprit de te débarbouiller avant de descendre.

GENEVIÈVE

Et qui est-ce qui m'a barbouillée?

GEORGES

Ce n'est pas moi, toujours.

GENEVIÈVE, *sautant de dessus sa chaise.*

Pas toi! pas toi! Et tu oses le dire devant ma bonne, qui a vu que tu m'avais poursuivie pour me forcer à désobéir à mon oncle.

GEORGES

Je ne t'ai pas forcée à désobéir; j'ai voulu te faire manger ces fraises qui étaient excellentes; ta bouche était ouverte et j'y ai mis les fraises; tu as craché comme une sotte et tu t'es salie : c'est ta faute.

GENEVIÈVE, *indignée.*

Tais-toi, tu sais que tu mens; tu m'as assez fait de mal aujourd'hui, laisse-moi tranquille. Je ne veux pas jouer avec toi parce que tu trouves toujours moyen de me faire gronder.

GEORGES

Moi! par exemple! Je ne dis jamais rien; c'est papa qui te gronde, parce que tu trouves toujours moyen de faire des sottises.

LA BONNE

Georges, je suis fâchée pour toi de tout ce que tu as dit à ma pauvre Geneviève depuis que tu es entré. Tu sais très bien qu'un mot de toi ce matin aurait justifié ta cousine; tu as eu assez peu de cœur pour ne pas le dire; tu es parti tranquillement, gaiement, laissant ta pauvre cousine, que tu savais innocente, sangloter dans le vestibule pour la punition injuste que tu lui as seul attirée.

GEORGES

La punition n'est pas grande, c'était très ennuyeux

là-bas; Louis et Hélène gémissaient sans cesse après
Geneviève; ils ne jouaient pas avec moi; ils sont allés
se promener avec papa, Mlle Primerose et d'autres
personnes qui étaient là, et moi je me suis ennuyé
horriblement.

LA BONNE

C'est bien fait, monsieur; c'est le bon Dieu qui vous
a puni, et c'est ce qui arrive toujours aux méchants.

GEORGES

Je dirai à papa comme vous me traitez, et il vous
grondera joliment toutes les deux.

LA BONNE

Ah! c'est ainsi que vous le prenez! Je vais de ce
pas chez Monsieur, pour justifier Geneviève en lui
racontant la scène de ce matin, en lui expliquant la
promenade dans le bois de l'autre jour, et nous
verrons qui sera grondé.

GEORGES, effrayé.

Oh non! Pélagie, ne dites rien à papa, je vous en
prie; je ne recommencerai pas, bien sûr.

LA BONNE

Si vous aviez témoigné du repentir, je vous aurais
peut-être pardonné cette fois encore et je n'aurais rien
dit; mais, après des heures de réflexion, vous revenez
dans des sentiments plus mauvais : vous osez vous
justifier avec une fausseté dont votre cousine même
est indignée malgré sa grande bonté et son indul-
gence. Non, monsieur, je ne vous ferai pas grâce, et
je vais trouver votre père; j'espère qu'il me croira et
qu'il vous punira comme vous le méritez. »

Georges pleurait et suppliait; Geneviève se joignit à lui, mais la bonne fut inflexible.

« Ma chère enfant, dit-elle à Geneviève, je manquerais à mon devoir, si je ne te justifiais pas aux yeux de ton oncle; tu as perdu tes parents, il faut qu'il sache la vérité; je n'ai que trop pardonné et trop attendu pour l'éclairer. Dans l'intérêt même de Georges et de son avenir, je dois l'informer de tout et je le ferai. »

Et, sans attendre de nouvelles supplications, elle sortit et descendit chez M. Dormère.

Pélagie entra résolument chez M. Dormère, qui écrivait. Il se retourna, parut surpris et contrarié en la voyant.

« Que me voulez-vous? lui dit-il d'un ton froid.

PÉLAGIE

Monsieur, je viens remplir un devoir très pénible et dont j'ai trop tardé à m'acquitter. Mais il s'agit de Georges et je ne doute pas que vous ne m'écoutiez jusqu'au bout.

M. DORMÈRE

Parlez, Pélagie; je vous écoute. Vous savez la tendresse que j'ai pour Georges, et l'intérêt que je porte à tout ce qui le regarde.

PÉLAGIE

C'est pour cela, Monsieur, que je vous demande de vouloir bien écouter ce que j'ai à vous dire. »

Pélagie commença alors le récit de ce qui s'était passé le matin; elle fit voir à M. Dormère la fausseté de la conduite de Georges, l'injustice de la punition de Geneviève; elle lui expliqua l'aventure de la robe déchirée, lui fit remarquer la générosité de Geneviève dans cette occasion comme dans bien d'autres.

M. Dormère avait écouté le récit de Pélagie sans l'interrompre. Quand elle eut fini, il resta quelques instants plongé dans de pénibles réflexions. Enfin il se leva, s'élança vers Pélagie, lui tendit la main et serra fortement la sienne.

M. DORMÈRE

Je vous remercie, Pélagie; merci du service que vous rendez à mon fils et à moi-même. Oui, j'ai été un peu faible pour mon fils, et trop sévère pour la pauvre petite orpheline confiée à mes soins par la tendresse de mon frère et de ma malheureuse belle-sœur. Envoyez-moi Georges; je veux lui parler seul. »

Pélagie se retira; elle monta dans sa chambre où elle retrouva Georges inquiet et tremblant.

LA BONNE

Votre père vous demande, Georges; descendez dans son cabinet de travail.

GEORGES

Est-il bien en colère contre moi?

LA BONNE

Vous le saurez quand il vous aura parlé.

GEORGES

Qu'est-ce que vous lui avez raconté? de quoi lui avez-vous parlé?

LA BONNE

Il vous le dira lui-même. »

Georges, voyant qu'elle ne voulait lui rien dire, se décida à descendre chez son père. Il entra doucement, s'avança lentement vers lui et le regarda attentivement. Il s'arrêta à moitié chemin, effrayé par l'expression froide et sévère de son visage.

M. DORMÈRE

Avancez, Georges. J'ai à vous parler. »

Georges s'approcha en tremblant.

M. DORMÈRE

Vous savez que Pélagie sort d'ici, qu'elle m'a parlé de vous?

GEORGES

Oui, papa.

M. DORMÈRE

Je n'ai pas besoin alors de vous répéter ce qu'elle avait à me dire; elle m'a appris ce que j'ignorais, vos discussions avec votre cousine dans bien des circonstances où c'était vous qui méritiez d'être réprimandé et où vous avez laissé accuser Geneviève, sans dire un mot pour sa défense.

GEORGES, reprenant courage.

Mais, papa, vous ne m'avez pas questionné; si vous m'aviez fait des questions, je vous aurais répondu. Geneviève ne disait rien non plus.

M. DORMÈRE

Est-ce une raison pour me laisser gronder et punir Geneviève, sans faire le moindre effort pour la justifier quand vous saviez qu'elle n'était pas seule coupable!

GEORGES

Papa, c'est que..., c'est que... je croyais..., je ne savais pas...

M. DORMÈRE, vivement.

C'est que vous avez agi sans réflexion, et qu'il en résulte que vous ne pouvez plus vivre agréablement

chez moi avec votre cousine; et, comme je ne peux pas
la renvoyer, puisqu'elle n'a d'autre asile que ma maison, vous m'obligerez à un sacrifice bien pénible pour
moi, celui de me séparer de vous. Tu es mon seul
enfant, Georges, et je me vois forcé de te mettre au
collège deux ou trois ans plus tôt que je ne le voulais.
Va annoncer à Geneviève et à sa bonne ton prochain
départ.

GEORGES

Oh! papa, je vous en supplie!

M. DORMÈRE

Non, mon enfant, je ne changerai pas de résolution;
pour toi-même, pour ton bonheur, il faut que tu ailles
au collège. Va, mon pauvre Georges; j'ai à écrire pour
des affaires pressées. »

M. Dormère embrassa Georges et le fit sortir de
chez lui. Georges, remonté par la tendresse de son
père, monta lentement l'escalier et entra chez Geneviève, qui l'attendait avec impatience.

GENEVIÈVE

Eh bien! qu'est-ce que mon oncle t'a dit? qu'est-ce
que tu lui as répondu?

GEORGES

Je n'ai rien répondu, puisqu'il ne m'a rien demandé.
Il m'a dit qu'il allait me mettre au collège dans quelques jours.

GENEVIÈVE, effrayée.

Au collège! Oh! pauvre Georges! ce sera horrible!

GEORGES

Pas du tout, ce ne sera pas horrible. Ce sera au
contraire très agréable. Dans le premier moment j'ai

eu peur comme toi, mais j'ai réfléchi que j'aurais des camarades, avec lesquels je pourrais jouer tout à mon aise, comme on joue entre garçons, que je ne serais plus obligé de travailler tout seul, et que je ne serais plus grondé et ennuyé toute la journée par ta bonne.

GENEVIÈVE., *vivement.*

Ma bonne! Elle est excellente ma pauvre bonne!

GEORGES

Pour toi peut-être, mais pas pour moi, qu'elle déteste; et je la déteste aussi joliment.

GENEVIÈVE

Oh! Georges, comment peux-tu...?

GEORGES, *avec humeur.*

Laisse-moi tranquille; tu m'ennuies aussi. toi. Je suis enchanté de m'en aller loin de vous tous. »

V

LE DÉPART DE GEORGES DÉCIDÉ

Quand la cloche sonna le dîner, les enfants descendirent dans la salle à manger. M. Dormère les y rejoignit bientôt. A la grande surprise de Geneviève, il s'approcha d'elle et lui sourit amicalement.

M. DORMÈRE

Eh bien! Geneviève, tu sais que je vais te séparer de ton cousin?

GENEVIÈVE

Oui, mon oncle, il me l'a dit, et je suis bien fâchée de le quitter.

M. DORMÈRE

Je croyais au contraire que tu serais très contente, car vous n'êtes pas toujours de bon accord.

GENEVIÈVE

Nous nous disputons quelquefois, mon oncle, c'est

vrai; mais nous sommes bien contents de jouer ensemble; n'est-ce pas, Georges?

GEORGES

Oui, mais j'aime mieux jouer avec des garçons.

M. DORMÈRE

Tu n'es donc pas triste d'entrer au collège?

GEORGES

Non, papa; je suis fâché de vous quitter, voilà tout. Dans quel collège me mettrez-vous, papa?

M. DORMÈRE

Je ne sais pas encore, mon pauvre ami; je m'informerai demain s'il y a de la place pour toi au collège des Pères Jésuites?

GEORGES

Celui où est mon cousin Jacques?

M. DORMÈRE

Précisément; on dit que les enfants y sont très heureux, et qu'ils aiment beaucoup les Pères.

GEORGES

Jacques les aime bien; il dit qu'ils sont bons comme de vrais pères; mais mon cousin Rodolphe dit qu'il faut travailler énormément.

M. DORMÈRE

Il faut travailler partout, mon ami.

GEORGES

Mais Rodolphe est puni très souvent.

GENEVIÈVE

Je crois bien, il ne fait rien; il t'a dit à sa dernière sortie qu'il n'apprenait pas ses leçons et qu'il ne les apprendrait pas, car cela l'ennuyait trop.

GEORGES

C'est qu'il en a trop à apprendre, et il est découragé.

GENEVIÈVE

Jacques a justement les mêmes choses à apprendre,
et il trouve qu'il n'y en a pas trop.

GEORGES

Parce que Jacques est *un fort;* il est toujours premier ou second.

M. DORMÈRE

Écoute, mon ami. Si Jacques est premier ou second,
c'est parce qu'il travaille bien, de tout son cœur; fais
comme lui, tu seras aussi *un fort* et tu seras heureux
comme lui.

GEORGES

Et s'il n'y a pas de place chez les Pères Jésuites, où
me mettrez-vous, papa?

M. DORMÈRE

Je ne sais pas; je verrai.

GEORGES

Vous vous dépêcherez un peu, papa, n'est-ce pas?

M. DORMÈRE

Tu es donc bien pressé de me quitter!

GEORGES

Non, papa, mais je voudrais jouer avec des camarades; je m'ennuie avec Geneviève. »

Quelques jours se passèrent ainsi. M. Dormère fit
une petite absence pour parler au Père Recteur. Il y
avait encore deux places vacantes, et tout fut convenu
pour que Georges pût être reçu au collège la semaine
suivante.

Au retour de M. Dormère, quand Georges apprit

qu'il entrerait sous peu de jours au collège, il ne put
cacher sa joie et il reprocha à Geneviève de ne pas la
partager.

Quand le départ de Georges fut décidé, M. Dormère
mena ses enfants faire des visites d'adieu. Mme de
Saint-Aimar, Mlle Primerose et les deux enfants étaient
assis devant le château quand M. Dormère arriva.

Après les premières paroles de politesse M. Dormère
dit :

« Je viens vous annoncer, chère madame et chère
cousine, le départ de Georges...

— Le départ de Georges! s'écria Mme de Saint-
Aimar. Où le menez-vous donc?

M. DORMÈRE

Au collège des Pères Jésuites, chère madame.

MADEMOISELLE PRIMEROSE

Bon Dieu! Pourquoi cela? Mais c'est très mal de
renvoyer de chez vous votre fils, votre seul enfant! Ce
pauvre garçon, je le plains de tout mon cœur.

M. DORMÈRE

Vous avez tort, ma cousine; car il en est enchanté;
il me presse de l'y faire entrer le plus tôt possible.

MADEMOISELLE PRIMEROSE

Georges a un courage héroïque, à moins que...

M. DORMÈRE

A moins que quoi, ma cousine?

MADEMOISELLE PRIMEROSE

A moins que..., mais non, je ne veux pas vous dire
ce que je pense; c'est inutile.

M. DORMÈRE

Si votre pensée est bonne, ma cousine, pourquoi ne voulez-vous pas m'en faire profiter?

MADEMOISELLE PRIMEROSE

Parce que... vous-même, vous n'avez peut-être pas... Non, décidément, j'aime mieux me taire... C'est plus sûr.

M. DORMÈRE

Comment, plus sûr? C'est donc bien désagréable pour moi, que vous n'osez pas me le dire.

MADEMOISELLE PRIMEROSE

Oh! je n'ose pas,... c'est une manière de parler. Si je le voulais, je vous le dirais bien. Mais il y a certaines personnes auxquelles..., avec lesquelles...; enfin... décidément je me tais,... et pour ne pas parler, je me sauve. »

Mlle Primerose fit une lourde pirouette et rentra dans sa chambre.

« Cet homme n'a pas plus de cœur qu'un tigre, pensa-t-elle; il chasse son fils avec une insouciance, une gaieté. C'est incroyable! C'est ce que je voulais lui dire... et ce que j'ai eu raison de garder pour moi. »

Peu de temps après, les enfants rentrèrent; M. Dormère demanda sa voiture et ils firent leurs adieux.

VI

RAMORAMOR

Pendant la visite de M. Dormère chez Mme de Saint-Aimar, un événement extraordinaire se passait au château de Plaisance : c'est ainsi que s'appelait la demeure de M. Dormère.

Les domestiques causaient dans la cuisine, quand ils virent arriver un nègre d'une quarantaine d'années, vêtu en matelot, grand, vigoureux, à l'air vif et décidé. Il entra sans en demander la permission, ôta son chapeau, s'assit et examina les visages qui l'entouraient.

« Bon ça, dit-il en se frottant les mains; tous bonnes figures. Vous donner à manger à moi. Ramoramor avoir faim; Ramoramor être fatigué. Moi pas voir Moussu Dormère; moi pas voir petite Mam'selle; pas voir bonne Mam'selle Pélagie; et moi venir pour ça.

— Vous êtes fou, mon bonhomme, dit un domes-

tique; qui êtes-vous? d'où venez-vous? que voulez-
vous?

LE NÈGRE

Moi avoir dit : Moi Ramoramor; moi veux manger;
moi veux voir Moussu Dormère; voir petite maîtresse,
Mam'selle Geneviève; moi voir bonne à petite maîtresse. Et moi avoir faim.

LE DOMESTIQUE

Vous ne comptez pas vous établir ici, je pense, mon
cher. Ce n'est pas une auberge chez nous.

LE NÈGRE

Moi veux rester ici toujours; moi rester avec petite
maîtresse.

LE DOMESTIQUE

Il faut chasser cet homme; il est fou!

LA CUISINIÈRE

Non, Pierre; il n'a l'air ni fou ni méchant. Je vais
lui donner à manger; et puisqu'il connaît Monsieur et
Mlle Geneviève, il faut qu'il attende leur retour.

LE NÈGRE, riant.

Vous brave femme; et moi vous être ami. »

La cuisinière se mit aussi à rire et plaça sur la table
un reste de gigot, des pommes de terre, de la salade,
la moitié d'un pain et un broc de cidre. Le nègre riait
et découvrait ses dents blanches, que son visage noir
d'ébène faisait paraître plus blanches encore. Il mangea et but avec un appétit qui fit rire les domestiques;
bientôt il ne resta plus rien de ce que lui avait servi
la cuisinière. Ils entourèrent le nègre et lui firent une
foule de questions. Ramoramor tournait la tête à
droite et à gauche, mais il n'avait pas le temps de

répondre à une demande qu'on lui en adressait une
autre. Il frappa un grand coup de poing sur la table
et cria d'une voix de stentor :

« Silence, tous! Moi ai pas dix bouches pour répondre à dix à la fois. Moi va dire quoi j'ai fait. Moi Ramoramor servais Moussu, Madame Dormère, moi servais
petite Mam'selle Geneviève; moi aimais beaucoup
petite Mam'selle, très bonne, très douce pour pauvre nègre; moi portais petite Mam'selle quand petite
Mam'selle être fatiguée. Moi partir avec maîtres à moi,
petite Mam'selle et Mam'selle Pélagie; tous monter
sur un grand vaisseau. Aller longtemps, longtemps.
Vaisseau arrêter; moi nager et aller à terre; vaisseau
partir, laisser Ramoramor tout seul; moi vouloir
rattraper maîtres, et moi monter sur vaisseau plus
grand; mais grand vaisseau tromper pauvre moi et
aller en arrière très longtemps, très longtemps; moi
m'ennuyer et devenir matelot; moi arriver enfin dans
la France; capitaine dit : « Voilà France; va chercher
« maîtres à toi. Toi brave matelot et moi payer toi. »
Bon capitaine mettre dans la main à moi beaucoup
pièces jaunes pour trois ans. Moi ôter chapeau, dire
adieu et aller chercher Moussu Dormère, Madame
Dormère, petite Mam'selle. Moi pas trouver et marcher toujours; moi arriver ici pas loin et demander
Moussu Dormère. « C'est ici, dit bonne femme; pas
« loin sur grand chemin vous trouver maison à Moussu
« Dormère. » Moi dire merci à bonne femme et
marcher et demander Moussu Dormère; et moi enfin
arriver chez Moussu Dormère, et moi veux voir
maîtres et petite maîtresse et mam'selle Pélagie; et

maîtres bien contents voir pauvre Ramoramor, et moi bien content et embrasser beaucoup fort petite Mam'selle.

— Je vois que vous êtes un brave homme, dit la cuisinière; je vais appeler Mlle Pélagie. »

La cuisinière monta et redescendit quelques instants après avec Pélagie; quand elle aperçut le nègre, elle jeta un cri : « Rame! » s'écria-t-elle en s'élançant vers lui. Le nègre bondit de son côté, la saisit dans ses bras et l'embrassa avec un bonheur qu'il exprima ensuite par des rires, des sauts, des gestes multipliés.

Tout le monde riait; Pélagie interrogeait, Ramoramor répondait à tort et à travers. Pendant cette scène de reconnaissance, la voiture de M. Dormère s'arrêta devant le perron.

Les domestiques, entendant la voiture, se précipitèrent tous dehors pour assister à l'entrevue du nègre avec Geneviève.

« Qu'est-ce que cela? dit M. Dormère. Pourquoi sont-ils tous là? »

Les enfants étaient descendus de voiture et regardaient. Le nègre s'élança au-devant d'eux; Geneviève, en le voyant, se jeta dans ses bras. Après l'avoir embrassée avec des cris de joie, le nègre posa enfin Geneviève par terre.

GENEVIÈVE

Rame, mon pauvre Rame! comment, c'est toi! Quel bonheur de te revoir! Où donc as-tu été si longtemps? Pourquoi nous as-tu quittés?

RAME

Pauvre petite Mam'selle, chère petite Mam'selle,

comme vous grandie! Rame plus porter petite maîtresse. Où donc maîtres à moi? Moussu Dormère,
Madame Dormère?

— N'en parle pas, Rame, dit Pélagie qui était près
de lui : ils sont morts tous les deux. Geneviève est
chez son oncle, M. Dormère.

LE NÈGRE, *consterné.*

Morts! morts! Pauvres maîtres! Pauvre petite
Mam'selle! »

Toute la joie du nègre avait disparu; une grosse
larme coula le long de sa joue. Geneviève pleura
aussi; la vue du nègre lui avait rappelé sa petite
enfance et ses parents.

« Que diable veut dire tout cela? dit enfin M. Dormère, qui avait été tellement surpris de cette scène
qu'il était resté immobile ainsi que Georges.

— Monsieur, dit Pélagie en s'avançant vers
M. Dormère, c'est le pauvre Ramoramor, ce nègre si
fidèle, si dévoué, dont le frère et la belle-sœur de
Monsieur lui ont parlé tant de fois. Il était au service
de M. et Mme Dormère pendant les cinq années qu'ils
sont restés en Amérique; il s'est embarqué avec eux,
n'ayant jamais voulu les quitter; il a disparu pendant
le retour, et jamais personne dans le bâtiment n'a su
ce qu'il était devenu. Et le voici arrivé sans que je
sache comment il a pu nous retrouver.

M. DORMÈRE

Ah! c'est lui qu'on appelait Rame! Je me souviens
que mon frère m'en a parlé souvent. Et où allez-vous,
mon ami? Vous êtes marin, à ce que je vois.

RAME

Moi plus marin, Moussu; moi aller nulle part; moi rester ici.

M. DORMÈRE

Comment! rester ici? Chez qui donc?

LE NÈGRE

Chez petite maîtresse, Mam'selle Geneviève.

M. DORMÈRE

Mais Geneviève n'est pas chez elle; elle est chez moi.

LE NÈGRE

Ça fait rien, Moussu. Moi rester chez vous.

M. DORMÈRE

Si cela me convient. J'ai assez de domestiques, mon cher; je n'ai pas d'ouvrage pour vous.

LE NÈGRE, *effrayé.*

Oh! Moussu. Moi faire tout quoi ordonnera Moussu. Moi pas demander argent, pas demander chambre, moi demander rien; seulement moi servir petite maîtresse, voir petite maîtresse. Moi manger pain sec, boire l'eau, coucher dehors sur la terre et moi être heureux avec petite maîtresse; moi tant aimer petite maîtresse, si douce, si bonne pour son pauvre Rame. »

Le pauvre nègre avait l'air si suppliant, si humble, que M. Dormère fut un peu touché de ce grand attachement. Geneviève, le voyant indécis, joignit ses supplications à celles de Rame; elle pleura, elle se mit aux genoux de son oncle : du côté des domestiques, M. Dormère entendait des exclamations étouffées : « Pauvre homme! — Il est touchant. — Cela fait de la peine. — C'est cruel de le renvoyer. — je n'aurais jamais ce cœur-là. — Quel brave homme! — Et la petite demoiselle, comme elle pleure! Ça fait pitié vraiment. »

M. DORMÈRE

Voyons, Geneviève, ne pleure pas. Je veux bien le garder, mais que ce soit pour ton service particulier avec Pélagie; et qu'il ne vienne surtout pas m'ennuyer par des querelles avec mes domestiques.

GENEVIÈVE

Merci, mon oncle, mille fois merci. Jamais je n'oublierai cette bonté de votre part, mon oncle, ajouta-t-elle en lui baisant la main.

M. DORMÈRE, *l'embrassant.*

C'est bien, Geneviève; tu es une bonne fille; va installer ton ami, et vous, Pélagie, faites-lui donner une chambre et tout ce qu'il lui faut.

PÉLAGIE

Merci, Monsieur. Je réponds que Rame sera reconnaissant toute sa vie de ce que Monsieur fait pour lui aujourd'hui. »

Geneviève baisa encore la main de son oncle et courut à son cher Rame, qui pleurait de joie de la retrouver et de chagrin de la mort de ses anciens maîtres.

GENEVIÈVE

Ne pleure pas, mon pauvre Rame; nous allons être bien heureux! Tu ne vas plus jamais me quitter et tu sais que je t'aimerai toujours.

LE NÈGRE

Oh oui! Mam'selle; Rame être bien heureux à

présent! Pauvres maîtres à Rame! moi pleurer pas
exprès, petite maîtresse; bien sûr, pas exprès. »

Et le pauvre nègre l'embrassait encore, la serrait
contre son cœur en pleurant de plus belle. Il ne tarda
pourtant pas à se consoler; les domestiques, touchés
de son attachement pour ses maîtres, lui témoignèrent
leur satisfaction du consentement de M. Dormère; il
leur offrit à tous ses services.

« Rame toujours votre ami, dit-il; aujourd'hui vous
bons; lui pas oublier jamais. Rame toujours là, prêt
pour courir, pour travailler, pour aider, tous, tous. »

VII

HOSTILITÉS DE GEORGES CONTRE RAME

Quand Ramoramor s'était retiré avec Pélagie et Geneviève, Georges avait suivi son père dans sa bibliothèque, qui était en même temps son cabinet de travail. Il s'assit pensif dans un fauteuil.

« Papa, dit-il, pourquoi avez-vous gardé ce vilain nègre?

M. DORMÈRE

Pour faire plaisir à Geneviève, qui paraissait désolée de devoir le quitter.

GEORGES

Bah! Geneviève a vécu sans lui depuis trois ans qu'elle est chez nous; elle s'en serait bien passée comme auparavant.

M. DORMÈRE

Et puis par pitié pour ce pauvre homme qui lui est si attaché.

GEORGES

Il serait retourné dans son pays. Il est affreux ce nègre; d'abord, moi, je ne veux pas qu'il me touche.

M. DORMÈRE

Sois tranquille, il n'aura rien à faire pour toi; tu ne le verras même pas.

GEORGES

Alors il faut que vous lui défendiez de servir à table; avec ses vilaines mains noires, il est dégoûtant.

M. DORMÈRE

Il ne servira pas à table; je ne compte pas en faire mon maître d'hôtel.

GEORGES

C'est ennuyeux tout de même qu'il soit chez nous.

M. DORMÈRE

Mon cher ami, tu as tort de prendre ce pauvre homme en aversion; pense donc qu'il a fidèlement servi mon frère et sa femme pendant cinq ans, qu'ils m'en ont raconté de beaux traits de dévouement et d'attachement.

GEORGES

Mais, papa, ce n'est pas une raison pour le garder chez vous.

M. DORMÈRE

Je trouve que c'est une raison suffisante; je veux qu'il reste près de Geneviève et je te prie de ne plus m'en parler; c'est un mauvais sentiment que tu témoignes : je voudrais t'en voir de meilleurs, surtout au moment de nous séparer. »

Georges ne dit plus rien; il prit un livre et fit

semblant de lire, jusqu'au moment où la cloche du dîner sonna.

Geneviève entra dans la salle à manger en même temps que son oncle; elle courut à lui le visage rayonnant de bonheur et lui baisa la main.

M. DORMÈRE

Tu es donc bien contente d'avoir ton Rame, ma chère petite?

GENEVIÈVE

Oh oui! mon oncle; si contente que je sens mon cœur qui saute dans ma poitrine. Tu verras, Georges, comme il est bon et complaisant! Quand tu auras envie de quelque chose, tu n'auras qu'à le lui demander; il te l'aura tout de suite.

GEORGES, *avec humeur.*

Je n'ai besoin de rien et je ne lui demanderai rien. D'ailleurs c'est bête ce que tu dis; est-ce que ce nègre qui n'a rien, qui n'est pas chez lui, mais chez papa, peut m'avoir un cheval, un éléphant, un fusil, un meuble?

GENEVIÈVE, *riant*

Mais non, ce n'est pas cela; je veux dire : te dénicher un nid, te faire une jolie canne avec une baguette cueillie dans le bois; des choses comme ça. »

Georges leva les épaules sans répondre.

GENEVIÈVE

Qu'as-tu donc, Ceorges? Tu as l'air fâché! Est-ce que je t'ai dit quelque chose de désagréable? Qu'est-ce que c'est? Dis-moi, Ceorges ; dis, je t'en prie.

GEORGES

Je te prie de me laisser tranquille ; tu m'ennuies

depuis que nous sommes à table, avec ton vilain Rame. Je n'aime pas les nègres, moi, et surtout celui-là; ainsi je te prie de ne plus m'en rabâcher les oreilles. »

Geneviève devint rouge comme une cerise; les larmes lui vinrent aux yeux; elle se tut.

M. DORMÈRE, sévèrement.

Georges, tu réponds grossièrement et sottement à ta cousine; je te prie, à mon tour, de ne pas prendre ce ton avec elle.

GEORGES

Bon, voilà que vous me grondez à cause de ce vilain nègre.

M. DORMÈRE

Taisez-vous, Monsieur, ou sortez de table. »

Georges aurait voulu sortir de table, mais on allait servir des glaces aux fraises et puis des cerises, qu'il ne voulait pas laisser échapper. Il se tut donc et ne souffla plus un mot. Geneviève garda aussi le silence, et M. Dormère pensa qu'il était trop dur pour son fils, que c'était mal de le reprendre si sévèrement pour des propos d'enfant.

« C'est singulier, se disait-il, que ce soit toujours Geneviève qui amène des désagréments à mon pauvre Georges; cette petite fille, qui est bonne pourtant, brouille tout mon intérieur; elle est cause que, deux ou trois jours avant le départ de Georges, je suis obligé de lui faire du chagrin en le grondant. Pauvre Georges! »

VIII

GEORGES SE DESSINE DE PLUS EN PLUS

D'après ce que Pélagie avait dit à Rame des sentiments de Georges pour Geneviève, le bon nègre ne se
trouvait pas bien disposé pour Georges. Lorsqu'ils se
rencontrèrent le lendemain, Rame ôta son chapeau,
mais sans dire un mot. Il accompagnait sa petite
maîtresse et ne la quittait pas des yeux.

GENEVIÈVE

Georges, veux-tu venir au potager? Nous cueillerons
des fraises pour le goûter.

GEORGES

Je veux bien, mais seul avec toi. Je ne veux pas
que ton nègre vienne avec moi.

GENEVIÈVE

Il ne sera pas avec toi; c'est moi que le bon Rame
va accompagner.

GEORGES

Alors va-t'en de ton côté; je n'ai pas besoin d'être gardé comme un enfant de deux ans.

GENEVIÈVE

Alors bonsoir; j'aime mieux être gardée, moi. Avec Rame, je peux aller partout. »

Geneviève s'approcha du nègre.

GENEVIÈVE

Rame, n'allons pas au potager; viens avec moi au bout du bois; nous pêcherons des écrevisses dans le ruisseau.

GEORGES

Mais moi aussi je veux pêcher des écrevisses.

GENEVIÈVE

Puisque tu ne veux pas venir avec Rame.

GEORGES

Dans le potager; mais aux écrevisses, je veux bien.

GENEVIÈVE

Viens alors, décide-toi. Je pars. »

Geneviève donna la main à Rame et l'emmena dans le bois, traversé par un ruisseau; les arbres étaient très serrés; le chemin pour y arriver était frais et charmant. Ils étaient suivis par Georges, qui avait envie de pêcher, mais qui aurait voulu se débarrasser du protecteur de Geneviève; il avait de l'humeur et il n'osait pas trop la témoigner.

« Si je dis seulement un mot désagréable à Geneviève, pensa-t-il, son vilain nègre serait capable de me dire des sottises. Geneviève, qui se sent soutenue à présent, va être insupportable; il faudra que je fasse toutes ses volontés; elle prend déjà des airs d'indé-

pendance : « Je veux; je ne veux pas; je m'en vais »,
etc. Je ne comprends pas que papa ait laissé cet
affreux homme demeurer dans notre maison.
Heureusement que je pars après-demain. Et quand
je reviendrai en vacances, je le ferai tellement
enrager, qu'il faudra bien qu'il s'en aille. »

Pendant que Georges faisait ces réflexions, Geneviève et Rame parlaient à qui mieux mieux. On arriva
ainsi au bout du pré, près d'un joli bosquet taillé dans
le bois.

« A présent, dit Geneviève, cherchons les
écrevisses.

GEORGES

Avec quoi vas-tu les prendre?

GENEVIÈVE

Ah! mon Dieu, tu as raison! J'ai oublié les
pêchettes, la viande et tout.

GEORGES, *triomphant.*

Voilà ce que c'est que de t'en aller comme une folle
avec un nègre qui ne sait rien, et sans me prévenir,
sans que j'aie pu préparer ce qu'il faut pour la pêche
des écrevisses.

GENEVIÈVE

Comme c'est ennuyeux! Qu'allons-nous faire?...
Georges, veux-tu aller dire à Lucas de nous...?

GEORGES

Non certainement, je ne veux pas. Vas-y toi-même.
Quant à envoyer ton nègre, c'est inutile parce qu'on
ne l'écouterait pas.

LE NÈGRE, *riant.*

Avoir pas chagrin, petite Maîtresse; Rame avoir
écrevisses pour sa chère petite mam'selle.

GENEVIÈVE

Comment feras-tu, mon pauvre Rame? Tu n'as rien pour les prendre.

RAME

Moi pas avoir besoin rien. Prendre écrevisses tout seul.

GENEVIÈVE

Comment vas-tu faire?

RAME

Voilà! eau pas profonde; moi entrer, écrevisses mordre jambes; moi prendre vite, une, deux, dix, vingt. Petite Maîtresse avoir beaucoup.

GEORGES

Tiens! c'est une bonne idée ça; allons, vite dans l'eau, le nègre.

GENEVIÈVE

Non, non, Rame; je ne veux pas que tu te fasses mordre pour moi; cela te fera mal et je ne veux pas.

RAME

Pas mal du tout, petite Maîtresse; moi sais bien. » Et il se mit à défaire ses souliers.

GEORGES

Laisse-le faire! puisqu'il veut bien.

GENEVIÈVE

Rame veut se faire piquer pour que j'aie des écrevisses : je ne le veux pas.

GEORGES

Et moi je veux; je suis plus maître que toi : Rame est chez papa, il n'est pas chez toi. Je lui ordonne d'aller dans l'eau. »

Le nègre ne bougeait plus.

RAME

Moi obéir à petite Maîtresse. Quoi ordonne à Rame?

GENEVIÈVE

Je te défends de te faire mordre, Rame; je t'en prie, Rame, mon cher Rame, ne le fais pas. »

Rame embrassa sa chère petite Maîtresse et dit :

« Rame obéir à petite Maîtresse. »

Et il remit un de ses souliers déjà ôté.

GEORGES

Puisque je vous ai ordonné d'aller dans l'eau, pourquoi remettez-vous vos souliers?

RAME, *froidement.*

Rame obéir à petite Maîtresse.

GEORGES

Insolent! Je le dirai à papa; nous verrons ce qu'il dira, lui; je vous arrangerai bien, allez!

GENEVIÈVE, *effrayée.*

Oh non! Georges; ne dis rien à mon oncle; tu vas mentir et mon oncle te croira.

GEORGES

Je dirai ce que je veux, et je mentirai si je veux, et je ferai chasser ce nègre si je veux, et toi avec lui si tu m'ennuies trop. »

Geneviève fondit en larmes. Rame, désolé, regardait Georges avec une colère qu'il n'osait pas faire paraître et qui augmentait le triomphe de Georges.

« Adieu, pleureuse, adieu, nègre; je vais trouver papa, s'écria Georges en riant d'un air méchant.

— Tu n'auras pas loin à aller », dit une voix tout près d'eux.

Georges se retourna avec frayeur.

« La voix de papa, dit-il.

M. DORMÈRE, *sortant du bosquet.*

Oui, c'est moi; j'entends que tu me cherches;
qu'est-ce que tu veux?

GEORGES, *troublé.*

Rien, papa; rien du tout.

M. DORMÈRE

Tu avais pourtant quelque chose à me raconter, ce
me semble.

GEORGES

Non, papa; non. Où étiez-vous donc?

M. DORMÈRE

Dans ce bosquet où je lisais. Voyons, raconte-moi ce
que tu voulais me faire savoir tout à l'heure. — Parle
donc, puisque nous voici tous réunis. »

Georges avait peur; il devinait que son père avait
tout entendu; et il se taisait, ne sachant comment
s'excuser.

M. DORMÈRE

Puisque tu ne veux pas parler, c'est moi qui te dirai
que j'ai entendu tout ce qui s'est passé depuis un
quart d'heure; tu t'es très mal comporté vis-à-vis de ce
pauvre nègre tout dévoué à Geneviève; très mal
vis-à-vis de ta cousine, à laquelle tu as parlé
grossièrement et méchamment. Tu pars après-demain,
c'est pourquoi je ne t'inflige aucune punition, mais je
te défends de jouer avec ta cousine, que tu ne cesses
de tourmenter, et de parler à ce brave homme, que tu
insultes par tes paroles et tes gestes dédaigneux. Tu
me causes beaucoup de chagrin, Georges; Dieu veuille
que le collège te change! Maintenant suis-moi. »

M. Dormère s'éloigna tristement avec Georges tout confus. Quand ils furent loin, le nègre dit :

« Moussu Dormère, pas mauvais. A fait bien, a dit bien avec Moussu Georges; a fait mal avec petite Maîtresse.

GENEVIÈVE

Comment cela, mon bon Rame? En quoi a-t-il fait mal?

RAME

Mam'selle pleurait; devait embrasser petite Mam'-selle, comme Rame embrasse. Moussu Dormère parti sans regarder, sans consoler. Pas bien ça, pas bien, pas aimer petite Mam'selle. »

Et il hochait la tête d'un air mécontent.

GENEVIÈVE

Ce n'est pas sa faute, mon pauvre Rame : je ne suis pas sa fille.

RAME, attendri

Mam'selle pas fille à Rame, et Rame l'aimer fort, tant que lui avoir cœur. Rame mourir pour petite Maîtresse.

GENEVIÈVE

Mon bon Rame, comme je t'aime aussi! »

Rame ramena Geneviève à Pélagie et ils repartirent tous les trois pour la pêche aux écrevisses, après avoir fait un paquet de tout ce qu'il fallait pour en prendre. Ils y restèrent une partie de l'après-midi, et Rame rapporta un grand panier plein d'écrevisses.

IX

GEORGES ENTRE AU COLLÈGE

La veille du départ de Georges pour le collège, M. Dormère et les enfants venaient de déjeuner; il était une heure et ils se promenaient devant le château, quand ils virent arriver Mlle Primerose.

MADEMOISELLE PRIMEROSE

Bonjour, mon cousin; bonjour, mes enfants; je viens faire mes adieux au futur collégien... Ah! on est un peu triste aujourd'hui; personne ne parle. C'est très bien. Il faut toujours un peu pleurer quand on se quitte. Je n'aime pas les gens qui rient toujours. Qui est-ce qui mène Georges? Est-ce vous, mon cousin?

M. DORMÈRE

Certainement, ma cousine; je ne me séparerai de mon fils que le plus tard possible.

MADEMOISELLE PRIMEROSE

A la bonne heure. Vous étiez si gai l'autre jour, que

je venais vous offrir de vous éviter l'ennui du voyage en accompagnant Georges moi-même.

M. DORMÈRE

Merci, ma cousine; je ne céderai à personne cette triste satisfaction.

MADEMOISELLE PRIMEROSE

Et toi, Geneviève, y vas-tu?

GENEVIÈVE

Si mon oncle veut bien le permettre, ma cousine; cela me fera grand plaisir de connaître la maison où va demeurer Georges.

MADEMOISELLE PRIMEROSE

Emmenez-vous Geneviève, mon cousin?

M. DORMÈRE

Je ne demande pas mieux; il y a à peine deux heures de chemin de fer; le voyage ne la fatiguera pas. Nous reviendrons ici le soir même pour dîner.

MADEMOISELLE PRIMEROSE

Ah! mon Dieu, qu'est-ce que je vois? Un homme tout noir! Un nègre, Dieu me pardonne! Il vient ici! Prenez garde; il approche. »

En effet, Rame s'approchait. Il ôta son chapeau et, à la grande surprise de Mlle Primerose, il prit la main de Geneviève.

RAME

Moi venir voir si petite Maîtresse besoin de Rame?

GENEVIÈVE

Pas à présent, mon bon Rame; va chez Pélagie, je t'appellerai.

MADEMOISELLE PRIMEROSE

Qu'est-ce que c'est que cela, grands dieux! Où avez

vous pêché cet homme noir, mon cousin? et comment ose-t-il prendre la main de Geneviève?

M. DORMÈRE

C'est un fidèle serviteur de mon frère et de ma belle-sœur; il est arrivé depuis trois jours; il paraît fort attaché à ma nièce, qu'il a soignée et portée dans ses bras pendant sa petite enfance, et je lui ai permis de rester près d'elle. Il est attaché à son service particulier.

MADEMOISELLE PRIMEROSE

Eh bien! en voilà du nouveau! Quel chevalier d'honneur! Comment l'appelez-vous?

GEORGES

Il s'appelle Ramor.

MADEMOISELLE PRIMEROSE

Ra? rat mort! Drôle de nom. Je voudrais bien l'entendre parler; ça parle si drôlement ces nègres.

GENEVIÈVE

Voulez-vous le voir, ma cousine? Il est allé chez ma bonne. Il est bon! Il m'aime tant! Papa et maman l'aimaient beaucoup; il était toujours avec moi.

MADEMOISELLE PRIMEROSE

Oui, certainement, ma petite Geneviève; je veux faire connaissance avec lui.

GENEVIÈVE

Montons alors chez ma bonne; vous le verrez bien à votre aise. »

Mlle Primerose, enchantée, suivit Geneviève chez Pélagie.

MADEMOISELLE PRIMEROSE

Bonjour, ma bonne Pélagie; je viens vous voir et

dire bonjour à ce monsieur nègre. Bonjour, monsieur
Ra-ra-mort.

RAME

Bonjour, madame. Moi pas moussu; moi Rame;
pauvre nègre, pas moussu.

MADEMOISELLE PRIMEROSE

Comme c'est bien ce qu'il dit là! Vous aimez beaucoup maîtresse?

RAME

Oh oui! Moi aimer, moi servir petite Maîtresse, toujours, toujours!

MADEMOISELLE PRIMEROSE

Qui aimez-vous encore, excellent serviteur?

RAME

Moi aimer qui aime petite Maîtresse; moi pas aimer,
moi haïr qui fait mal à petite Maîtresse.

MADEMOISELLE PRIMEROSE

Dieu! quels yeux il fait! C'est effrayant. Et dites-
moi, mon cher monsieur Rame, aimez-vous Georges?

RAME, *froidement.*

Moi connais pas.

MADEMOISELLE PRIMEROSE

Comment! vous ne le connaissez pas! le cousin de
Geneviève?

RAME, *de même.*

Moi connais pas.

MADEMOISELLE PRIMEROSE

Et M. Dormère? Vous le connaissez bien! L'aimez-
vous?

RAME

Moi connais pas.

MADEMOISELLE PRIMEROSE

Ah! je vois ce que c'est. Vous voyez que Georges et
M. Dormère n'aiment pas Geneviève?

RAME, *avec colère.*

Moi a dit : Connais pas.

MADEMOISELLE PRIMEROSE

Il me fait peur avec ses yeux étincelants. Connais
pas. Connais pas. Je comprends ce que cela veut dire :
Connais pas. — Voyons, mon excellent ami, ne vous
fâchez pas : moi j'aime beaucoup petite Maîtresse;
ainsi il faut aimer moi aussi, mon bon Rame, et pas
faire des yeux terribles à moi mam'selle Primerose.

RAME, *riant.*

Vous, mam'selle? Vous, Rose?

MADEMOISELLE PRIMEROSE

Oui, mon cher Rame; je suis *Mam'selle* comme
Geneviève; et pas *Rose*, mais *Primerose*. Et j'aime
beaucoup ma petite cousine Geneviève; n'oubliez
pas cela. »

Rame jeta un regard interrogateur sur Pélagie et
sur Geneviève. Mlle Primerose se mit à le questionner
sur une foule de choses. Geneviève finit par s'ennuyer
de cette longue conversation et bâilla. Aussitôt Rame
s'approcha d'elle et lui prit la main en disant :

« Petite Maîtresse ennuyée. Rame plus parler.

MADEMOISELLE PRIMEROSE, *à demi-voix.*

Tiens! il n'est guère poli ce fidèle serviteur. — C'est
mal élevé ces nègres! — (*Haut.*) Allons, je m'en vais,
Viens-tu, Geneviève?

GENEVIÈVE

Non, ma cousine, je reste avec Rame, qui va me

faire des meubles pour ma poupée avec son couteau. »

Mlle Primerose descendit seule et rejoigni:
M. Dormère et Georges qui enveloppait divers objets
que son père venait de lui donner pour le collège.

MADEMOISELLE PRIMEROSE

Vous faites vos derniers préparatifs de départ, mon
cousin. Je ne veux pas vous déranger, je m'en vais; au
revoir, mon cousin; adieu, Georges.

M. DORMÈRE

Adieu, adieu, ma cousine; nous sommes un peu
pressés; nous avons beaucoup à faire.

Le lendemain, M. Dormère et Georges s'apprê-
taient pour aller gagner le chemin de fer. Geneviève
mettait son chapeau dans sa chambre.

GEORGES

Papa, je suis fâché que vous emmeniez Geneviève :
elle va vous gêner pour vos courses à Paris.

M. DORMÈRE

C'est bien ce que je pense, mais elle a demandé
à nous accompagner; je croyais que cela te ferait
plaisir.

GEORGES

Moi! pas du tout, papa; au contraire, elle me gêne.
Et puis le nègre voudra la suivre bien certainement.
Nous allons avoir encore une scène; vous verrez cela.

M. DORMÈRE

Je ne veux pas te contrarier, mon pauvre garçon;
Je peux lui dire que j'ai des affaires à Paris. — Va
l'appeler; je le lui annoncerai tout doucement. »

Georges partit en courant :

« Geneviève, Geneviève, lui cria-t-il; tu n'as pas

besoin de mettre ton beau chapeau. Papa ne
t'emmène pas.

GENEVIÈVE, *étonnée.*

Pourquoi cela?

GEORGES

Parce que tu le gênerais; il a des affaires à Paris, et
il aime mieux être seul avec moi.

GENEVIÈVE, *tristement.*

Mais mon oncle m'avait dit hier...

GEORGES

Hier n'est pas aujourd'hui; il a changé d'idée. Je
vais te dire adieu, car nous partons.

GENEVIÈVE, *embrassant Georges à plusieurs reprises.*

Adieu, Georges, adieu. Je suis fâchée de te quitter
si brusquement. Tiens, Georges, prends ce petit souvenir de moi; il te sera utile là-bas. Je voulais te le
donner au collège. »

Geneviève tira de sa poche un joli portefeuille en
cuir de Russie, qu'elle lui mit dans la main. Georges,
touché de cette aimable attention, embrassa affectueusement Geneviève et s'en alla, un peu repentant de
cette dernière méchanceté qu'il venait de lui faire.

M. DORMÈRE

Eh bien! Geneviève ne descend pas pour nous dire
adieu?

GEORGES

Non, papa; elle m'a dit adieu en haut, et elle m'a
donné un joli portefeuille. »

Ils montèrent en voiture. Georges voulut voir le
dedans du portefeuille. Il l'ouvrit et vit avec autant de
plaisir que de surprise qu'il contenait un petit cou-

teau, des ciseaux, un porte-plume, un porte-crayon, une petite lime, une pince, plusieurs compartiments pour mettre des papiers, et puis un compartiment plein de timbres-postes, un autre avec une petite pelote d'épingles, enfin une petite glace et un petit peigne en écaille.

GEORGES

Oh! que c'est joli, papa! Voyez donc comme Geneviève est bonne! Comme tout cela va me servir au collège!

M. DORMÈRE

Oui, très joli et très utile. C'est fort aimable à Geneviève; je regrette que nous ne l'ayons pas emmenée. Cette pauvre enfant, elle croit peut-être que c'est un caprice de ma part?

GEORGES

Non, papa; je lui ai dit que vous étiez bien fâché, mais que vous aviez des affaires importantes à régler; elle a bien compris qu'elle vous gênerait.

M. DORMÈRE

Pauvre enfant! Heureusement qu'elle a son Rame et Pélagie qui l'aiment bien et qui vont la consoler. »

Trois heures après, M. Dormère et Georges arrivèrent rue de Vaugirard, au collège des Pères Jésuites. Georges se trouva un peu intimidé au premier moment, mais l'accueil que lui firent les bons Pères le rassura promptement et il demanda lui-même à faire connaissance avec ses futurs camarades.

Quand M. Dormère remonta dans sa voiture, une

larme mouilla sa paupière; la froideur de l'adieu de son fils l'avait péniblement impressionné. « Serait-il ingrat? » se demanda-t-il. Moi qui l'aime tant et qui ai toujours été si indulgent pour lui! Avec quelle insouciance il m'a quitté... Geneviève aurait témoigné plus de cœur. »

X

PREMIÈRE SORTIE DE GEORGES

Le premier mois de l'absence de Georges se passa
bien. M. Dormère allait le voir une fois par semaine,
le dimanche, et chaque fois il en revenait de mauvaise
humeur et disposé à trouver mal tout ce que disait
et faisait Geneviève. Il cherchait à dissimuler son peu
d'amitié pour elle, mais Pélagie et Rame ne s'y trom-
paient pas et en causaient souvent entre eux.

Un mois se passa ainsi, sans que Geneviève pût
obtenir de son oncle la permission de l'accompagner
quand il allait voir son fils à Vaugirard. Un jour qu'elle
le lui demandait pour le lendemain, qui était un mercredi, M. Dormère lui répondit :

« Il est inutile que tu y ailles; Georges doit sortir
demain; on sort par extraordinaire à six heures du
matin; je vais coucher ce soir à Paris; je serai au

collège demain à six heures; nous irons déjeuner au café du chemin de fer et nous prendrons le train de sept heures; nous serons ici vers neuf heures. J'amènerai aussi ton cousin Jacques, qui n'a personne pour le faire sortir.

GENEVIÈVE

Que je suis contente, mon oncle, de revoir Georges et Jacques! Me permettez-vous d'engager Louis et Hélène à déjeuner?

M. DORMÈRE

Certainement; cela fera grand plaisir à Georges. » Geneviève courut chez sa bonne pour lui annoncer cette heureuse nouvelle.

GENEVIÈVE

Allons vite, ma bonne, engager Louis et Hélène à venir passer la journée de demain avec nous.

LA BONNE

Je ne demande pas mieux, ma chère petite; je vais prévenir Rame pour qu'il nous accompagne. Il faut nous dépêcher, il est tard. »

Dix minutes après, ils partaient tous les trois pour le château de Saint-Aimar.

Ils ne tardèrent pas à arriver. Hélène et Louis jouaient sur l'herbe.

« Mes amis, mes amis, venez demain à Plaisance! » leur cria Geneviève du plus loin qu'elle les vit.

LOUIS ET HÉLÈNE, courant à Geneviève.

Pourquoi demain? Qu'est-ce qu'il y a?

GENEVIÈVE

Georges sort demain; Jacques vient avec lui. Ils arrivent à neuf heures avec mon oncle, qui va coucher ce soir à Paris.

LOUIS

Je vais demander à maman; attends-moi. »

Mlle Primerose, entendant causer, mit la tête à la fenêtre; elle descendit précipitamment.

« Qu'est-ce que c'est? dit-elle. Pourquoi est-on si agité?

GENEVIÈVE

C'est pour demain, ma cousine. Georges sort.

HÉLÈNE

Et Jacques aussi.

MADEMOISELLE PRIMEROSE

Qu'est-ce que ça fait! Il n'y a pas de quoi courir et crier comme si le feu était à la maison.

HÉLÈNE

Geneviève nous invite à déjeuner et à dîner.

MADEMOISELLE PRIMEROSE

Je ne demande pas mieux; je vous y mènerai. — Tu as l'air effrayée, Geneviève. Est-ce que ton oncle t'a défendu de m'inviter?

GENEVIÈVE, embarrassée.

Non, ma cousine; il ne m'a rien dit, mais je crains..., peut-être que..., j'ai peur qu'il ne me gronde; il n'aime pas que j'invite sans sa permission.

MADEMOISELLE PRIMEROSE

Très bien. Je comprends. Il ne veut pas de moi. Il a peur que je ne voie des choses qu'il veut cacher; c'est encore pour son méchant Georges; mais je le saurai tout de même. — Ah! il me croit donc bien bête, bien aveugle... J'y vois, j'y vois, et mieux qu'il

ne le voudrait. — Écoute, ma pauvre enfant, tu ne
peux pas vivre avec cet homme; tu es trop malheureuse! J'irai lui parler.

GENEVIÈVE, *effrayée*.

Je vous en prie, je vous en supplie, ma bonne cousine, n'en parlez pas à mon oncle; il serait très en
colère contre moi, il croirait que je vous ai porté plainte
contre lui. Je vous assure qu'il est très bon pour moi,
que je suis très heureuse. Et puis j'ai ma bonne et
mon cher Rame qui me consolent de tout.

MADEMOISELLE PRIMEROSE

Ils te consolent? Tu as donc besoin d'être consolée?
Tu es donc malheureuse? Je ne veux pas de cela,
moi. »

Geneviève est désolée. Mlle Primerose était fort irri-
tée et persistait à vouloir parler sérieusement, disait-
elle, à M. Dormère. Pélagie eut beaucoup de peine à
la calmer et à obtenir d'elle un silence absolu au sujet
de Geneviève.

La visite de Geneviève ne fut pas longue, parce
qu'elle craignit en la prolongeant de faire attendre son
oncle pour le dîner; elle repartit avec Pélagie et Rame,
en recommandant à ses amis de venir de très bonne
heure.

Le lendemain elle se leva de grand matin pour cueillir des fleurs et les arranger dans les vases de la chambre de Georges. A neuf heures précises, elle entendit
la voiture qui ramenait son oncle et les deux collé-
giens. Elle descendit l'escalier et embrassa affectueusement Georges et Jacques.

GENEVIÈVE

Comme tu as bonne mine, Georges; et comme tu es grand, Jacques; il y a longtemps que je ne t'ai vu.

JACQUES

Oui, il y a près de trois mois : depuis que tu es partie pour la campagne.

GENEVIÈVE

Georges, viens voir dans ta chambre les jolis bouquets que j'ai mis dans tes vases. »

Tous les trois montèrent.

JACQUES

Ils sont jolis, en effet. Quelles belles roses! Et quelle odeur délicieuse!

GEORGES

Tu aurais pu t'éviter la peine de les cueillir et de les arranger; tu sais que je ne me soucie pas des fleurs.

GENEVIÈVE

Mais elles sont si jolies! Je pensais que cela te ferait plaisir.

GEORGES

Papa n'aime pas qu'on prenne ses fleurs; cela dégarnit le jardin.

GENEVIÈVE

Oh! il y en a tant! D'ailleurs, j'ai demandé hier à mon oncle la permission d'en cueillir, et il m'a dit de prendre tout ce que je voudrais, puisque c'était pour toi.

JACQUES

Je serais bien content d'avoir de si jolies fleurs dans ma chambre.

GEORGES

Oh! toi, tu es toujours content de tout.

JACQUES

C'est pour cela que je suis toujours gai et heureux.

GENEVIÈVE

Et toi, Georges, es-tu heureux au collège?

GEORGES

Oui, très heureux; les Pères sont très bons; seulement je trouve qu'ils font trop travailler.

JACQUES

Tu dis cela parce que tu n'as pas encore pris l'habitude de travailler. Quand tu seras habitué, tu ne trouveras pas que ce soit trop.

GEORGES

Rodolphe ne dit pas comme toi.

JACQUES

Je crois bien, un paresseux fini; un vrai cancre, qui ne veut pas travailler. Je te conseille de ne pas l'écouter; tu te feras punir si tu fais comme lui.

GEORGES

Tu es ennuyeux, toi; tu prêches toujours.

JACQUES

Je ne te prêche pas; je te donne un bon conseil.

GEORGES

Je n'ai pas besoin de conseils; je sais ce que je dois faire.

JACQUES

Fais comme tu voudras; seulement je vois bien que tu écoutes trop Rodolphe, et comme tu es mon cousin, je serais fâché de te voir faire comme lui. — Dis donc,

Geneviève, je voudrais bien voir Rame, ce bon nègre qui t'aime tant.

GENEVIÈVE

Comment sais-tu cela?

JACQUES

C'est Georges qui me l'a dit; il m'a dit que Rame ne te quittait jamais, qu'il faisait tout ce que tu voulais, qu'un jour même il avait voulu se faire manger les pieds par des écrevisses pour te faire plaisir.

GENEVIÈVE, *avec indignation.*

Pour me faire plaisir! Et tu as cru cela! Pauvre Rame! Je te raconterai cela. Il est excellent mon pauvre Rame, mais je ne veux pas qu'il souffre pour moi. Je serais bien méchante si j'avais fait ce qu'a dit Georges. — Viens le voir; il est chez ma bonne. Viens-tu, Georges?

GEORGES, *avec dédain.*

Non, merci; je vais vous attendre au potager. »

Geneviève amena Jacques chez Pélagie; Rame y était en effet.

« Bonjour, Pélagie, bonjour, Rame, dit Jacques en entrant.

GENEVIÈVE

Mon bon Rame, voici Jacques; il faut que tu l'aimes beaucoup, car il est très bon.

RAME

Si Moussu Jacques aimer petite Maîtresse, moi aimer Moussu Jacques.

GENEVIÈVE

Oui, oui, Rame, il m'aime beaucoup. n'est-ce pas, Jacques?

— Oui certainement, répondit Jacques en l'embrassant et en riant. Qui est-ce qui ne t'aimerait pas?

RAME, *riant*.

Bon ça! Moussu Jacques, bonne figure; gentil
Moussu. Rame l'aimer bien sûr.

« Et moussu Georges? Lui pas venir à château?

JACQUES

Il est venu avec moi; je crois qu'il est au potager.
Veux-tu venir, ma petite Geneviève?

GENEVIÈVE

Oui, certainement. J'irai partout avec toi. — Il ne
faut pas que tu viennes, mon pauvre Rame.

JACQUES

Pourquoi cela? laisse-le venir; je serai bien content
de le voir.

GENEVIÈVE

Non, Jacques; Georges ne l'aime pas, il ne serait
pas content.

JACQUES, *étonné*.

Georges ne l'aime pas! Pourquoi cela? Il a l'air si
bon, et il t'aime tant. »

Rame riait en montrant ses dents blanches et se
frottait les mains.

RAME

Bon petit Moussu! Lui comprendre; lui bon cœur.
Pas comme Moussu Georges; lui pas aimer Rame.
Rame trop aimer petite Maîtresse; lui jaloux; lui pas
aimer petite Maîtresse; lui faire gronder petite Maîtresse, faire pleurer petite Maîtresse : Rame pas
aimer lui. »

En attendant Louis et Hélène, qui n'arrivaient pas,

ils allèrent au potager et rejoignirent Georges qui avait la bouche remplie par un gros abricot, et le menton et les joues barbouillés par le jus; c'était le quatrième qu'il mangeait, et il n'avait pas choisi les plus petits. Il n'y eut aucune querelle, aucune discussion, M. Dormère vint les joindre, et ils firent une bonne promenade dans les bois.

L'heure du déjeuner était arrivée; voyant que leurs amis ne venaient décidément pas, ils rentrèrent et se mirent à table. Le déjeuner était bon et copieux; les enfants mangèrent comme des affamés, à l'exception de Georges, que ses quatre abricots avaient à demi rassasié. M. Dormère paraissait très heureux d'avoir son fils, il était très aimable pour Jacques et beaucoup plus affectueux pour Geneviève.

Dans l'après-midi, pendant que Rame faisait un arc et des flèches pour Jacques et pour Geneviève, M. Dormère emmena Georges dans le potager.

M. DORMÈRE

Je vais te donner deux beaux abricots que j'ai gardés pour toi, mon ami, et tu en emporteras deux autres pour te rafraîchir en route.

GEORGES

Mais Jacques les verra, papa; il faudra que je lui en donne un.

M. DORMÈRE

Non; j'en donnerai deux petits à Jacques; les tiens sont remarquablement bons et beaux. »

Quand ils arrivèrent près de l'espalier, M. Dormère ne trouva plus les beaux abricots.

« Eh bien, dit-il avec surprise, que sont-ils devenus?

Il n'en reste plus que des petits. — Jules, Jules, venez par ici; où sont les quatre beaux abricots que j'avais fait garder pour mon fils?

LE JARDINIER

Je ne sais pas, Monsieur; ils y étaient ce matin.

M. DORMÈRE

Vous laissez donc cueillir mes fruits?

LE JARDINIER

Jamais, Monsieur; personne n'entre au jardin.

M. DORMÈRE

Mais comment ces magnifiques abricots ont-ils disparu! Quelqu'un est-il venu au potager?

LE JARDINIER

Personne, Monsieur, excepté les enfants. M. Jacques est resté avec moi pour me voir semer des pois; Mˡˡᵉ Geneviève a été rejoindre M. Georges qui examinait les espaliers.

M. DORMÈRE

Est-ce toi, Georges? Avoue-le, si c'est toi; tu sais que tu as la permission de prendre tout ce que tu voudras.

GEORGES, *avec hésitation.*

Non, papa, ce n'est pas moi.

M. DORMÈRE

Mais alors c'est donc Geneviève.

LE JARDINIER, *vivement.*

Mˡˡᵉ Geneviève ne touche jamais à rien, Monsieur, je suis bien sûr que ce n'est pas elle.

M. DORMÈRE, *sèchement.*

Je ne vous demande pas votre avis; gardez vos

réflexions pour vous. Ce qui est certain, c'est que les abricots n'y sont plus.

LE JARDINIER

Mais voici les noyaux, Monsieur; encore tout frais, au pied de l'espalier.

M. DORMÈRE

C'est vrai. Cueillez dans les autres arbres six abricots bien mûrs. »

Le jardinier en apporta six très bons, mais beaucoup moins beaux que ceux qui avaient été mangés par Georges. M. Dormère lui en fit manger deux et garda les autres pour les partager avec Jacques.

« Geneviève a certainement mangé ceux que j'avais gardés pour mon pauvre Georges, se dit-il avec humeur. Vilaine petite fille! »

En revenant près du château, Georges vit Jacques et Geneviève qui lançaient des flèches.

GEORGES

Tiens! Rame leur a fait des arcs et des flèches, et moi je n'en ai pas.

M. DORMÈRE

Tu vas en avoir, mon pauvre enfant.

GEORGES

Mais Rame ne voudra pas m'en faire, papa.

M. DORMÈRE

Il faudra bien qu'il le fasse si je lui ordonne. Mais, pour ne pas te faire attendre, je vais te faire donner celui de Geneviève. »

M. Dormère s'approcha de Geneviève.

M. DORMÈRE

Donnez votre arc et vos flèches à Georges, Made-

Eh bien ! mon oncle, qui est-ce qui a dit vrai?
(P. 88.)

moiselle. C'est un jeu de garçon et qui ne vous convient pas.

JACQUES

Mon oncle, nous jouons au pays des Amazones; Geneviève est une Amazone et prend une leçon d'arc.

GENEVIÈVE

Cela ne fait rien, Jacques, puisque mon oncle désire que je donne mon arc à Georges. Tiens, Georges, il est excellent; les flèches passent au-dessus du grand sapin. »

Georges prit l'arc et les flèches avec un peu d'embarras. Jacques le regarda avec étonnement.

« Mon oncle, dit-il en se retournant vers M. Dormère, permettez-vous que nous continuions notre jeu d'Amazone? Geneviève tirera avec mon arc.

— Fais comme tu veux, mon ami, répondit M. Dormère un peu honteux de son injustice.

— Merci, mon oncle, dit Geneviève avec sa bonne humeur habituelle. Merci, Jacques, tu es bien bon; nous tirerons chacun à notre tour. »

Après avoir joué quelque temps encore, M. Dormère prévint Georges et Jacques qu'il était temps de partir :

« Voici bientôt cinq heures, dit-il; nous n'avons que le temps d'aller au chemin de fer; nous serons à Paris à sept heures; nous dînerons au restaurant; je vous ramènerai au collège à huit heures et demie et je serai de retour ici avant onze heures. »

Jacques et Georges firent leurs adieux à Geneviève; Jacques serra la main à Pélagie et à Rame et s'apprê-

tait à monter en voiture, quand M. Dormère lui mit
deux abricots dans la main en disant :

« Tu les mangeras en route, mon ami.

JACQUES

Et Georges et Geneviève?

M. DORMÈRE

Georges en a deux comme toi; quant à Geneviève,
elle a mangé ce matin les quatre beaux abricots que
j'avais fait réserver pour Georges, ainsi elle en a eu
sa large part.

GENEVIÈVE

Je n'en ai pas mangé un seul, mon oncle, je vous
assure. Je savais que vous les réserviez pour Georges
et je me serais bien gardée d'y toucher. D'ailleurs,
mon oncle, vous savez que jamais je ne touche à un
fruit du potager sans votre permission.

M. DORMÈRE

Ce que je sais, c'est que tu as mangé ceux dont je te
parle. Le jardinier m'a dit que tu t'étais promenée le
long des espaliers avec Georges, et nous avons trouvé
par terre les quatre noyaux des abricots.

JACQUES, *avec vivacité.*

Mais, mon oncle, c'étaient les noyaux des abricots
que Georges avait mangés avant que nous fussions
entrés; il en avait encore plein la bouche, le jus des
abricots coulait sur son menton, quand nous sommes
arrivés.

M. DORMÈRE

Comment, Georges? Tu m'as dit que tu n'en avais
pas mangé.

GEORGES

Non, papa, je n'en ai pas mangé; il dit cela pour excuser Geneviève.

JACQUES, *avec colère.*

Ah çà! dis donc, toi; vas-tu m'accuser de mentir quand c'est toi qui mens?

« Et je vais prouver à mon oncle que tu mens et que tu laisses lâchement accuser Geneviève. Tire de ta poche le mouchoir avec lequel tu t'es essuyé la bouche; je parie que mon oncle va y trouver les traces de ton abricot. Et si tu en as mangé un, tu peux bien avoir mangé les quatre. »

Georges devint rouge; il eut peur et voulut monter en voiture sans répondre à Jacques; mais celui-ci le tira vigoureusement par le bras.

JACQUES, *avec fermeté.*

Tu ne t'en iras pas comme cela, je te dis; montre-moi ton mouchoir.

M. DORMÈRE

Donne-le, Georges; ce sera le moyen de te justifier si tu es innocent.

JACQUES

Et de te convaincre si tu es coupable. »

En disant ces mots, Jacques entra sa main dans la poche de Georges tremblant, en tira le mouchoir, le déploya, et chacun put voir les traces orangées et très visibles des abricots du matin.

JACQUES

Eh bien! mon oncle, qui est-ce qui a dit vrai?

M. DORMÈRE

C'est toi, mon ami, bien certainement.

JACQUES

Et Geneviève aussi, que vous soupçonniez, mon oncle.

M. DORMÈRE, *tristement.*

Tu as raison et j'ai eu tort. Je ne pouvais croire que Georges pût mentir aussi effrontément. »

M. Dormère embrassa Geneviève comme pour lui demander pardon de son injustice et il monta en voiture; Jacques l'embrassa aussi avec triomphe en lui disant tout bas :

« Comme je suis content d'avoir pu te justifier! »

Geneviève l'embrassa bien fort :

« Combien je te remercie, mon bon, mon cher Jacques! »

Rame, qui était près de Geneviève, saisit la main de Jacques et la baisa à plusieurs reprises. Georges était déjà monté dans la voiture; Jacques s'y plaça à son tour, et la voiture s'éloigna.

XI

MADEMOISELLE PRIMEROSE CHANGE
DE LOGEMENT

Le lendemain de la sortie de Georges et de Jacques, Geneviève, qui avait pensé plusieurs fois à l'invitation qu'avaient acceptée ses amis de Saint-Aimar, demanda à sa bonne pourquoi ils n'étaient pas venus la veille.

LA BONNE

Je n'en sais rien; leur mère n'aura peut-être pas voulu les laisser venir sans elle.

GENEVIÈVE

Peut-être sont-ils malades. Si nous y allions dans l'après-midi, ma bonne?

LA BONNE

Très volontiers; nous partirons vers deux heures. »

Geneviève se mit au travail; sa bonne, qui était assez instruite, lui donnait des leçons de lecture, d'écriture, de calcul et de couture. Un peu avant déjeuner, Geneviève descendit chez son oncle; il fut assez froid avec elle et ne lui parla ni de Georges ni de Jacques.

Ils déjeunèrent en silence; à peine avaient-ils fait quelques pas devant le château qu'ils virent arriver Mlle Primerose; M. Dormère alla au-devant d'elle.

MADEMOISELLE PRIMEROSE

Bonjour, mon cousin; j'espère que j'ai été discrète hier.

M. DORMÈRE

Pourquoi n'êtes-vous pas venue, ma cousine? j'aurais été charmé de vous voir.

MADEMOISELLE PRIMEROSE

Je ne pouvais pas le deviner, du moment que vous ne me faisiez rien dire. Avec un homme comme vous, il faut être prudent et discret.

M. DORMÈRE

Pourquoi Louis et Hélène ne sont-ils pas venus voir Geneviève hier?

MADEMOISELLE PRIMEROSE

Parce que j'ai conseillé à leur mère de ne pas les laisser venir.

M. DORMÈRE

Pourquoi cela?

MADEMOISELLE PRIMEROSE

Pourquoi? Parce qu'ils auraient pu vous gêner.

M. DORMÈRE

Me gêner, moi? Mais c'est Georges qu'ils venaient voir et pas moi.

MADEMOISELLE PRIMEROSE

C'est égal; je sais ce que je dis.

M. DORMÈRE, *se tournant vers sa nièce.*

Geneviève, est-ce que tu n'as pas invité tes amis à venir déjeuner avec Georges?

GENEVIÈVE

Oui, mon oncle. Ils m'ont dit qu'ils viendraient.

MADEMOISELLE PRIMEROSE, *faisant une révérence moqueuse.*

Mais moi, Monsieur, je n'ai pas été invitée et j'ai...

M. DORMÈRE

Et vous vous êtes fâchée? C'est très mal; vous savez bien que vous venez quand vous voulez. Depuis le nombre d'années que je vous connais, je ne suis pas en cérémonie avec vous. Si vous désiriez accompagner les enfants, pourquoi ne l'avez-vous pas dit à Geneviève?

MADEMOISELLE PRIMEROSE

Je l'ai dit, mais elle n'a pas osé m'inviter sans l'autorisation du Pacha de Plaisance.

M. DORMÈRF

C'est bête à Geneviève, elle a voulu faire la victime, comme toujours.

MADEMOISELLE PRIMEROSE

Mais pas du tout. C'est vous qui allez, comme toujours, tomber sur elle avec votre tyrannie accoutumée.

M. DORMÈRE

Tyrannie! Moi, tyran! Mais qu'avez-vous donc aujourd'hui ma cousine?

MADEMOISELLE PRIMEROSE

Je n'ai rien, Monsieur, je n'ai rien; c'est l'esprit de

justice que je possède malheureusement plus que vous, qui me fait bouillir devant l'opression tyrannique.

M. DORMÈRE

Mais, ma cousine, je vous demande encore une fois : qu'avez-vous? Est-ce pour me dire toutes ces belles choses que vous venez me voir aujourd'hui?

MADEMOISELLE PRIMEROSE

Pas du tout; elles me sont échappées malgré moi; je viens vous faire une visite d'amitié.

M. DORMÈRE, *avec ironie.*

En effet, vous me témoignez une grande amitié.

MADEMOISELLE PRIMEROSE

Plus que vous ne le pensez, mon cher. Voyons, causons comme de vieux amis. Voulez-vous me donner Geneviève pour la journée, avec Pélagie et Rame?

M. DORMÈRE

Très volontiers; depuis le départ de mon pauvre Georges, je suis habitué à être seul.

MADEMOISELLE PRIMEROSE

Seul! allons donc! C'est parce que vous le voulez bien que vous êtes seul. Tenez, pour parler franchement, je venais vous demander si vous vouliez me garder une quinzaine de jours dans votre pachalik.

M. DORMÈRE

Tant que vous voudrez, si vous ne vous ennuyez pas du tête-à-tête.

MADEMOISELLE PRIMEROSE

M'ennuyer! Il n'y a pas de danger; je ne m'ennuie jamais quand je peux parler à mon aise. Faites préparer ma chambre, j'emmène Geneviève et nous reviendrons dans deux heures avec ma malle et ma femme de chambre.

« Allons, viens, Geneviève, et ne prends pas ton air effaré : tu vois bien que ton oncle consent. »

Mlle Primerose partit presque en courant, traînant après elle Geneviève, qui avait peine à la suivre

M. Dormère, resté seul, se demanda s'il aurait le courage de supporter le bavardage assommant de Mlle Primerose.

XII

AIGRES ADIEUX DES DEUX AMIES

Mme de Saint-Aimar fut surprise du prompt retour de Mlle Primerose, qui en général prolongeait ses visites jusqu'à l'heure du dîner quand elle allait à Plaisance.

MADAME DE SAINT-AIMAR

Comment! déjà de retour, Cunégonde, je ne t'espérais pas de sitôt.

MADEMOISELLE PRIMEROSE

Certainement, puisque voici sa nièce que j'amène. Mais je viens chercher ma malle et ma femme de chambre.

MADAME DE SAINT-AIMAR, *étonnée*.

Pourquoi cela? Pour aller où?

MADEMOISELLE PRIMEROSE

Pour aller passer une quinzaine de jours chez mon pauvre cousin, qui est tout seul et qui meurt d'ennui.

MADAME DE SAINT-AIMAR

Pourquoi ne me l'as-tu pas dit?

MADEMOISELLE PRIMEROSE

Je n'en savais rien; c'est en le voyant l'œil morne et la tête baissée que j'ai eu l'idée de l'égayer en lui tenant compagnie. Voilà tout. Je laisse Geneviève aux enfants; je monte pour faire ma malle, prévenir Azéma, et nous partons. »

Mme de Saint-Aimar, un peu surprise, mena Geneviève chez ses enfants. Mlle Primerose bousculait Azéma pour aller plus vite.

Quand Mlle Primerose descendit pour faire ses adieux à son amie, elle s'aperçut qu'elle avait oublié de demander la voiture.

MADEMOISELLE PRIMEROSE

Comment, Cornélie, tu n'as pas fait atteler?

MADAME DE SAINT-AIMAR

Mais non, tu ne m'as rien dit; je croyais que tu avais la calèche de M. Dormère.

MADEMOISELLE PRIMEROSE

Pas du tout; je suis venue à pied. Fais atteler bien vite; tu aurais bien pu me demander si j'avais besoin de la voiture; il était clair que je n'emporterais pas mes malles sur mon dos. Tu es toujours comme cela, tu ne penses à rien.

MADAME DE SAINT-AIMAR

Et toi tu disposes de tout comme si tu étais chez toi; tu mets le désordre dans toute la maison.

MADEMOISELLE PRIMEROSE

Puisque c'est ainsi, je suis bien aise de ne plus y être.

MADAME DE SAINT-AIMAR

Ce sera un repos pour moi, car tu brouilles tout.

MADEMOISELLE PRIMEROSE

Je te remercie du compliment; je ne le mériterai pas de sitôt. J'ai tout emporté pour m'établir confortablement chez mon cousin Dormère, qui est plus gracieux que toi.

MADAME DE SAINT-AIMAR

Je t'en félicite, mais je plains le pauvre M. Dormère.

MADEMOISELLE PRIMEROSE

Que tu es aimable, gracieuse, charmante!

MADAME DE SAINT-AIMAR

Je suis sincère, voilà tout! Adieu, Cunégonde.

MADEMOISELLE PPIMEROSE

Adieu, Cornélie, et pour longtemps.

MADAME DE SAINT-AIMAR

Comme tu voudras. »

Enfin les malles furent terminées, descendues, la voiture fut avancée; on ficela les malles; Melle Primerose, oubliant Geneviève, monta dans la voiture encombrée de paquets; Azéma se plaça à côté du cocher avec une boîte sous ses pieds, un ballot sur ses genoux, un coussin sous son bras, il se mirent en route pour Plaisance.

M. Dormère reçut Mlle Primerose à son arrivée.

« Et Geneviève? dit-il.

— Geneviève! s'écria Mlle Pimerose je l'ai oubliée : elle joue avec les enfants. »

M. Dormère, étonné et un peu mécontent, appela Pélagie et Rame; et s'adressant au cocher qui aidait à décharger les malles : « Attendez un instant, je vous

prie; vous emmènerez Pélagie et Rame qui ramène-
ront Geneviève à pied. » Et il lui glissa une pièce de
cinq francs dans la main. Le cocher ôta son chapeau
et proposa de ramener Mlle Geneviève en voiture.

« Non, merci, Félix; elle reviendra à pied : c'est si
près par la traverse. »

M. Dormère prit le bras de Mlle Primerose et la
mena dans un joli appartement ayant vue sur la
rivière et le parc; il y avait un salon, une chambre à
coucher avec cabinet de toilette et une chambre pour
la femme de chambre avec armoires à robes, à linge et
tout ce qu'il fallait pour serrer toute espèce de choses.

XIII

INSTALLATION DE MADEMOISELLE PRIMEROSE. — ÉDUCATION DE GENEVIÈVE

Pendant que Mlle Primerose rangeait ses affaires dans la chambre, Geneviève revenait à Plaisance avec Pélagie et Rame, celui-ci outré de l'oubli de Mlle Primerose.

« Moi jamais laisser aller petite Maîtresse seule avec cousine, marmottait-il tout bas. Elle parler, parler et penser à rien. Oublier petite Maîtresse! »

Quand Geneviève fut de retour, que Mlle Primerose l'entendit revenir, elle courut pour la recevoir; Rame se précipita au-devant de Mlle Primerose et voulut l'empêcher d'avancer en se mettant devant Geneviève.

« Laissez-moi passer, Rame, dit Mlle Primerose.

RAME

Non, vous pas passer.

MADEMOISELLE PRIMEROSE

Qu'est-ce qui vous prend donc?

RAME

Vous oublier petite Maîtresse.

— Imbécile! » s'écria Mlle Primerose en lui donnant un léger coup de poing dans l'estomac pour le faire reculer.

RAME

Rame pas bouger, Rame pas content. »

Geneviève avait ri d'abord en voyant la contestation de Mlle Primerose avec Rame; mais quand elle vit l'obstination qu'il mettait à barrer le passage, elle lui prit le bras en disant :

« Laisse passer ma cousine, mon bon Rame; tu vois bien qu'elle est fâchée de m'avoir oubliée. Voyons, Rame, écoute-moi, ne sois pas entêté. Veux-tu me faire de la peine en étant impoli pour ma cousine? »

Rame abaissa les bras et se rangea, en disant d'un ton radouci : « Moi faire comme veut petite Maîtresse. »

Geneviève s'approcha de Mlle Primerose qui était rouge de colère; elle lançait à Rame des regards furieux et ne songeait plus à embrasser Geneviève.

MADEMOISELLE PRIMEROSE

Je vais vous faire gronder, monsieur Rame; je dirai à mon cousin que vous êtes un grossier.

RAME

Et Rame plus raconter d'histoires à Mam'selle Primerose; pas dire quoi dit Moussu Dormère, pas raconter quoi fait Moussu Georges, Moussu Jacques. Mam'selle Primerose plus rien savoir. Voilà. »

« C'est qu'il le ferait comme il le dit, pensa Mlle Primerose. C'est méchant, ces nègres. »

Elle tendit la main à Rame; il se mit à rire.

RAME

Moi savoir quoi vous aimer et moi pas peur. Mais

moi pas serrer main qui donne **coup** dans l'estomac à Rame. »

Mlle Primerose rit aussi et s'en retourna avec Geneviève.

MADEMOISELLE PRIMEROSE

Vois-tu, Geneviève, comme ma chambre est jolie? Tu viendras prendre des leçons chez moi; je t'apprendrai l'histoire, la géographie, le dessin, la musique, tout ce que tu ne sais pas.

GENEVIÈVE

Oh! que je serai contente, ma bonne cousine! J'ai tant envie d'apprendre et je ne sais rien. »

Mlle Primerose acheva de s'installer et prépara les objets nécessaires pour les leçons que Geneviève demandait à commencer dès le lendemain.

Mlle Primerose passa la première soirée à parler à M. Dormère de son désir de donner quelque instruction à Geneviève, mais il lui fallait, disait-elle, la permission de son cousin, qui la lui donna avec empressement.

MADEMOISELLE PRIMEROSE

Vous voulez donc bien, mon cousin, que je lui apprenne l'histoire, dont elle ne sait pas le premier mot?

M. DORMÈRE

Sans doute, ma cousine; cela va sans dire.

MADEMOISELLE PRIMEROSE

Vous comprenez, mon cousin, que l'histoire est une étude nécessaire pour une petite fille. Personne n'en a soufflé mot à cette enfant. Si je n'étais pas là pour la lui apprendre, elle serait ignorante comme une cruche.

Il faudra aussi que je lui apprenne le calcul; elle ne sait seulement pas que deux et deux font quatre, la pauvre enfant. Vous permettez, mon cousin, n'est-ce pas?

M. DORMÈRE, *impatienté*.

Oui, oui, trois fois oui, ma cousine; tout ce que vous voudrez.

MADEMOISELLE PRIMEROSE

A propos, je dois vous prévenir que si je ne reste ici que quinze jours, je n'aurai pas le temps de lui rien apprendre. Dans l'intérêt de Geneviève, il faut que je vous demande de me garder plus longtemps.

M. DORMÈRE

C'est une bonne pensée dont je vous remercie, ma cousine.

MADEMOISELLE PRIMEROSE

Combien de temps puis-je passer chez vous?

M. DORMÈRE

Tant que vous voudrez; six mois, un an, dix ans si vous voulez.

MADEMOISELLE PRIMEROSE

Quelle exagération! Dix ans! Comme si je pouvais répondre de rester dix ans chez vous!

M. DORMÈRE

Enfin, ce sera le temps que vous jugerez nécessaire, ma cousine; c'est vous qui déciderez la question. »

La conversation continua sur ce ton pendant une heure. Enfin M. Dormère, ennuyé, fatigué, à bout de patience, lui proposa une partie de piquet, qu'elle accepta avec plaisir. Le lendemain et les jours suivants, il eut soin de proposer la partie de piquet ou

de trictrac après la première demi-heure de leur tête-
à-tête. Il invitait souvent des voisins pour dîner et
passer la soirée.

La paix était faite depuis longtemps entre Mlle Primerose et Rame. Quand celui-ci vit Geneviève si
contente des leçons que lui donnait Mlle Primerose,
Rame perdit le peu de ressentiment qu'il conservait
contre la grosse cousine et vint souvent écouter les
leçons et admirer les progrès de sa petite maîtresse.
Ce qui l'intéressait le plus, c'était le dessin; Geneviève
fit en peu de temps des progrès extraordinaires.
Mlle Primerose dessinait et peignait fort bien; Geneviève aimait beaucoup le dessin, et chaque leçon était
un progrès.

Un jour, Mlle Primerose voulut faire le portrait de
Geneviève. Rame le vit quand il n'était que com-
mencé, mais la ressemblance y était déjà; il le
reconnut et témoigna sa joie en battant des mains, en
sautant et en criant : « Petite Maîtresse, petite
Maîtresse à Rame! »

MADEMOISELLE PRIMEROSE

Chut! taisez-vous, Rame, il ne faut pas le dire
avant que ce soit fini. Je veux faire une surprise à
M. Dormère oui ne sait pas que nous dessinons.

RAME

Moussu Dormère pas savoir; Rame savoir. Rame
bien content. Moi dire à Mam'selle Pélagie.

MADEMOISELLE PRIMEROSE

Non, non, à personne; M. Dormère le saurait.

RAME

Quoi ça fait Moussu Dormère saurait? Moi dire à

Moussu : Moussu pas parler; pas dire à personne :
Mam'selle Primerose pas vouloir? Quoi ça fait?

MADEMOISELLE PRIMEROSE

Cela fait qu'il le saurait, et je ne veux pas qu'il le
sache.

RAME

Moi comprends pas.

MADEMOISELLE PRIMEROSE

C'est égal; je ne veux pas que vous le disiez.

RAME

Moi pas comprendre.

MADEMOISELLE PRIMEROSE

Ne comprenez pas, mon cher, mais taisez-vous.
Faites comme si vous ne le saviez pas.

RAME

Moi savoir pourtant. Moi peux pas pas savoir,
puisque moi savoir.

MADEMOISELLE PRIMEROSE

—Dieu! qu'il est impatientant! Geneviève, fais-lui
comprendre qu'il se taise.

GENEVIÈVE

Mon bon Rame, toi tu sais que ma cousine fait mon
portrait, parce que tu es mon ami; mais les autres ne
sont pas mes amis, et nous ne le leur dirons pas. Tu
sais bien que les amis ne disent pas tout aux autres,
parce qu'ils ont des secrets; eh bien! c'est un secret,
et toi seul tu le sais parce que tu es mon ami. Com-
prends-tu?

RAME

Oui, moi comprendre petite Maîtresse. Moi dire rien
à personne.

MADEMOISELLE PRIMEROSE

C'est très bien; quand j'aurai fini Geneviève, je ferai votre portrait à vous.

RAME

A moi? à Rame?

MADEMOISELLE PRIMEROSE

Oui, à vous-même.

RAME

Comment Mam'selle faire noir?

MADEMOISELLE PRIMEROSE

Avec de la couleur; je peindrai votre portrait.

RAME

Pourquoi Mam'selle pas faire rose et blanc petite Maîtresse?

MADEMOISELLE PRIMEROSE

Parce que c'est long à faire; et à cause de ses leçons, Geneviève n'a pas le temps. »

Rame ne dit plus rien, mais il pensa qu'il regarderait faire Mlle Primerose et qu'il saurait bien peindre comme elle le portrait de Geneviève.

M. Dormère était assez content d'avoir chez lui sa cousine Primerose; elle l'ennuyait quelquefois par son bavardage, mais toutes ses matinées et ses après-midi étaient prises par les leçons qu'elle donnait à Geneviève et par ses propres occupations, de sorte qu'il ne la voyait guère qu'aux heures des repas et le soir.

Elle égayait le salon par sa gaieté et le sans-gêne qui ne l'abandonnait jamais. Elle riait même en se fâchant; on la voyait généralement avec plaisir; et pour elle-même la vie qu'elle menait était fort agréable.

XIV

SECONDE SORTIE
DE GEORGES ET DE JACQUES

Un mois environ après l'installation de Mlle Prime-rose à Plaisance, M. Dormère amena, un mercredi matin, Georges et Jacques; c'était leur dernière sortie avant les vacances. Quand Geneviève entendit la voiture, elle s'élança à la porte du vestibule pour les recevoir. Georges, descendu le premier, l'embrassa assez froidement; Jacques la reçut plus affectueuse-ment et l'embrassa à plusieurs reprises.

JACQUES

Tu n'es pas venue nous voir une seule fois avec mon oncle, Geneviève. Pourquoi cela?

Geneviève allait répondre; mais Mlle Primerose prit la parole.

MADEMOISELLE PRIMEROSE

Parce qu'elle ne fait pas ce qu'elle veut, mon ami. Son oncle ne veut jamais l'emmener.

M. DORMÈRE

Vous savez, ma cousine, que j'ai des affaires à terminer, des personnes à aller voir, et que Geneviève
me gênerait beaucoup.

MADEMOISELLE PRIMEROSE

Je sais qu'elle est toujours gênante. Une fille! c'est
bon à mettre de côté. Une vieille fille est souvent utile
pourtant; comme moi, par exemple; j'instruis la bonne
petite Geneviève; je lui apprends beaucoup de choses,
allez! Elle en sait autant que toi, Georges, maintenant,
excepté le latin.

GEORGES

En un mois? Elle sait tout ce que je sais!

MADEMOISELLE PRIMEROSE

Certainement, Monsieur; plus, peut-être. »

Elle sortit en riant et alla raconter à M. Dormère la
conversation qui venait d'avoir lieu. M. Dormère ne
prit pas la chose au sérieux, grâce aux rires de
Mlle Primerose; il crut que le tout était un badinage;
il n'eut de mécontentement que contre Geneviève qui
avait, pensa-t-il, pris sérieusement cette plaisanterie et
cherché à se faire des amis aux dépens de Georges.

Aussi quand il la revit au moment du déjeuner, il
fut avec elle si froid et si sombre que Geneviève fut
terrifiée et que Jacques lui demanda s'il était souffrant.

M. DORMÈRE

Non, mon ami, je vais très bien.

JACQUES

Georges, as-tu donné à mon oncle la note que le
Père t'avait remise pour lui.

GEORGES, *rougissant.*

Non, j'ai oublié; mais ce n'est rien d'important.

M. DORMÈRE

Qu'est-ce que c'est, mon ami?

GEORGES

C'est pour annoncer que les vacances commencent le 7 août.

JACQUES

Je croyais que c'était une lettre du Père Recteur.

GEORGES

Pas du tout; pourquoi veux-tu que le Père Recteur se plaigne de moi? Qu'est-ce que j'ai fait?

JACQUES

Je n'en sais rien; je ne dis pas du tout que le Père Recteur se plaigne de toi; seulement il me semblait que le Père t'avait dit : « N'oubliez pas! elle est impor- « tante pour vous »; et comme je ne t'ai pas vu la remettre à ton père, je craignais que tu ne l'eusses oubliée.

MADEMOISELLE PRIMEROSE

Et comment sais-tu que le Père Recteur se plaint de toi?

GEORGES

Je ne sais pas; j'ai dit cela comme autre chose.

M. DORMÈRE

Mais où est-elle cette note, mon cher enfant? Cherche donc dans tes poches. »

Georges fouille dans ses poches et ne trouve rien.

GEORGES

Je l'ai perdue; je ne la retrouve pas.

Elle est peut-être tombée dans la voiture.

GEORGES

Non, c'est impossible; nous l'aurions vue. »

Rame passe sa tête à la porte et demande s'il peut entrer.

M. DORMÈRE

Que voulez-vous ?

RAME

Donner papier à Moussu Dormère.

M. DORMÈRE

Entrez, alors. Quel papier ? »

Rame entre.

RAME

Moi aller à chemin de fer; moi voir Moussu chef; lui donner à moi lettre : Quoi c'est ? moi dis. — C'est « lettre à Moussu Dormère. » Moi prendre et moi apporter. »

Rame tendit la lettre; M. Dormère l'ouvrit, fronça le sourcil et regarda Georges qui était rouge et embarrassé.

M. DORMÈRE

C'est bien; merci. »

M. Dormère ne dit plus rien. Il relut la lettre, la mit dans sa poche et jeta à Georges un regard de reproche.

Le déjeuner continua silencieux et triste; Jacques avait reconnu la lettre que le Père avait remise à Georges et qui était décachetée: Mlle Primerose se douta de ce que c'était; Georges craignait les repro-

ches de son Père, et Geneviève avait peur de l'air
sévère de son oncle.

Quand on fut sorti de table, M. Dormère dit à
Georges de le suivre dans son cabinet; Mlle Primerose
emmena Jacques et Geneviève dans le parc.

Quand M. Dormère fut en tête-à-tête avec son fils :
« Georges, lui dit-il, comment as-tu osé ouvrir cette
lettre, la lire et la jeter dans le wagon pour me la
cacher?

GEORGES

Papa, j'avais peur que vous ne fussiez fâché contre
moi; je voulais ne vous la donner qu'en vous quittant.

M. DORMÈRE

Tu mens, mon pauvre Georges; tu mens. Si tu avais
voulu me la donner, tu ne l'aurais pas jetée dans le
wagon ou dans la gare; tu l'aurais soigneusement mise
au fond de ta poche. Mais comment as-tu osé décacheter une lettre à mon adresse? »

Georges baissa la tête et ne répondit pas.

M. DORMÈRE

Tu as vu que le bon Père, pour nous éviter la honte
de ton renvoi, me prévient que tu ne seras plus admis
après les vacances; il se plaint de ta paresse, de ta
constante mauvaise volonté, des punitions fréquentes
qu'on est obligé de t'infliger, privations de prome-
nades, de récréations, pensums. Rien n'y fait; il juge
que tu ne seras jamais un bon élève, que ton instinct
te porte à te lier avec les plus mauvais, et que tu es
d'un mauvais exemple pour tes camarades; enfin il
me dit clairement que leur décision est prise à ton
égard et que c'est à ma considération qu'ils te gardent

jusqu'aux vacances. Oh! Georges, pourquoi t'es-tu mis dans cette triste position dont je m'afflige pour toi comme pour moi?

GEORGES

Papa, je suis sûr que je serai bien mieux dans un autre collège, que je travaillerai beaucoup mieux. On est si sévère chez les Jésuites, on a tant à travailler, qu'il est impossible d'arriver à tout faire; on est puni pour un rien, on mange mal, on ne joue pas assez; si je restais là, je suis sûr que je mourrais ou que je tomberais malade.

M. DORMÈRE

Ce que tu dis là, Georges, c'est ce que disent tous les mauvais élèves; si c'était vrai, comment ton cousin Jacques serait-il toujours dans les premiers? Comment sa santé, délicate jadis, se serait-elle fortifiée au point où elle l'est? Comment se trouverait-il si heureux au collège, que ce serait pour lui un grand chagrin de n'y pas retourner? Comment aimerait-il autant tous les Pères du Collège, et particulièrement ceux des classes qu'il a déjà faites?

« Non, non, mon pauvre Georges, tu es mal à Vaugirard parce que tu n'es pas digne d'y être admis; et je crains bien qu'il n'en soit de même de tous les collèges; tu n'y seras ni plus heureux ni plus estimé. — Tu es mon seul fils, j'espérais en toi pour mon bonheur à venir, et tu ne me causes que du chagrin. »

Georges ne disait rien; il restait immobile, dans l'attitude d'un garçon qui est grondé, mais qui n'éprouve aucun repentir; il n'eut pas une parole affectueuse pour son père; et quand M. Dormère,

découragé, lui dit tristement : « Tu peux aller jouer,
Georges; je n'ai plus rien à te dire », il se leva et quitta
l'appartement avec un air visiblement satisfait.

Pendant les reproches trop doux que M. Dormère
adressait à son fils, Mlle Primerose s'éloignait avec
Jacques et Geneviève.

« Mes enfants, dit-elle gaiement, il est clair que
Georges a fait une vilaine action; je suis sûre qu'il a
ouvert et lu la lettre; il a vu qu'on se plaignait de lui
et il a perdu, c'est-à-dire jeté, la lettre, de peur d'être
grondé.

GENEVIÈVE

Oh! ma cousine, j'espère que vous vous trompez;
Georges n'est pas capable d'une si mauvaise action.

MADEMOISELLE PRIMEROSE

Et comment a-t-il su qu'on se plaignait de lui?
Comment a-t-il perdu une lettre que le Père lui avait
annoncée comme importante? Va, va, ma fille, tu es
trop bonne, trop indulgente pour ce garçon.

GENEVIÈVE

Ma cousine, je suis sûre que Jacques ne le juge pas
aussi sévèrement que vous le faites. Que crois-tu, toi,
Jacques?

JACQUES, *après un peu d'hésitation.*

Je crois... que Mlle Primerose a raison.

MADEMOISELLE PRIMEROSE

Tu vois bien, Geneviève. Et Jacques le connaît à
fond. On se connaît vite au collège. »

Jacques sourit et ne répondit pas.

MADEMOISELLE PRIMEROSE

Je parie que M. Dormère va faire comme toujours;

il lui dira à la doucette : « Mon Georges, tu as eu tort.
« Tu me fais de la peine, mon ami. Je t'aime tant,
« mon petit Georges. Sois sage à l'avenir; ne recom-
« mence pas, mon chéri. »

« Et voilà la seule réprimande qu'il aura. Et moi je
veux le punir. Je veux vous emmener chez Mme de
Saint-Aimar pour qu'il ne nous trouve pas. Dépêchons-
nous; marchons un peu rondement; il ne pourra pas
nous trouver; il n'osera pas aller chez les Saint-Aimar;
il cherchera, il pestera, il sera furieux; ce sera une
juste et trop légère punition de son horrible conduite. »

Jacques trouva l'idée excellente et doubla le pas
tout en encourageant Geneviève, qui s'apitoyait sur
Georges. Mlle Primerose, enchantée de son invention
pour punir Georges, marchait aussi vite qu'elle pouvait, et se retournait souvent pour voir si elle ne
l'apercevait pas. Bientôt ils furent hors de vue et ils ne
tardèrent pas à arriver à Saint-Aimar, où ils furent
reçus avec des cris de joie; les enfants étaient très
contents de voir Jacques et Geneviève.

LOUIS

Comme tu as bien fait de venir, Jacques! Nous
devions aller à Plaisance à ta dernière sortie, mais
Mlle Primerose a empêché maman de nous y envoyer
parce qu'elle n'avait pas été invitée.

HÉLÈNE

Et Georges, où est-il? »

Geneviève était embarrassée d'expliquer son
absence; Mlle Primerose répondit pour elle.

« Il est resté avec son père; c'est bien naturel quand
on ne sort qu'une fois par mois.

HÉLÈNE

C'est très bien à lui; est-ce que nous ne le verrons pas?

MADEMOISELLE PRIMEROSE

Vous le verrez si vous voulez venir dîner avec nous, M. Dormère emmène les garçons à cinq heures; votre maman vous enverra chercher le soir. Je vais le lui demander. Nous nous en irons à trois heures. »

Les enfants se réjouirent tous de cet arrangement. Jacques dit à Geneviève :

« J'aime bien mieux que nous ne nous retrouvions pas seuls avec Georges. Il va être furieux contre moi, contre toi, contre le pauvre Rame, et nous aurions des discussions à propos de tout; et comme je ne veux pas souffrir qu'il te tourmente, il pourrait bien y avoir quelque chose de plus qu'une simple discussion; cela ferait de la peine à mon oncle; il est très bon pour moi, je serais désolé de le mécontenter.

GENEVIÈVE

Tu as bien raison; Louis et Hélène seront très utiles pour empêcher Georges de se trop laisser aller. Et à présent, faisons une partie de croquet. »

Ils passèrent tous les quatre deux bonnes heures à jouer ensemble; après un repos d'un quart d'heure dont ils profitèrent pour faire un copieux goûter, ils prirent congé de Mme de Saint-Aimar; elle promit à ses enfants de leur envoyer la voiture à huit heures avec leur bonne, et ils partirent tous en courant. Le retour dura plus d'une demi-heure, parce qu'ils s'arrêtaient souvent pour cueillir des fleurs et des joncs à tresser, pour gravir des fossés, pour cueillir des noisettes.

En approchant du château de Plaisance, ils aperçurent Georges qui dormait sur l'herbe, à l'ombre d'un gros chêne.

Mlle Primerose leur fit signe de ne pas faire de bruit; elle s'approcha tout doucement et lui posa sur l'estomac une poignée de noisettes déjà cassées et vides. Puis, emmenant les quatre enfants dans un massif, ils se cachèrent pour assister au réveil de Georges. Ils poussèrent tous ensemble un *hou! hou!* lamentable; Georges s'éveilla, regarda autour de lui, ne vit personne et aperçut les noisettes sur son estomac.

« Qui est-ce qui m'a mis cela? s'écria-t-il avec colère; je ne vois personne; serait-ce un sot tour de Rame, par hasard? Il rôdait autour de moi quand je me suis endormi. Précisément, je le vois qui passe sa vilaine tête par la porte de l'office... »

RAME, *s'approchant à pas lents.*

« Rame! appela-t-il d'une voix formidable.

GEORGES

Approchez, vilain nègre. »

Rame avança de quelques pas.

Georges ramassa les noisettes, et quand Rame fut à sa portée, il lui jeta en plein visage la poignée de coquilles. Rame, surpris, fit un saut en arrière.

RAME

Quoi Moussu veut?

GEORGES

— C'est votre présent que je vous rends, insolent, impertinent, grossier! »

Rame, de plus en plus étonné, le regardait avec de grands yeux effarés; il crut que Georges devenait fou.

RAME

Là là! Moussu Georges. Moi chercher Moussu Dormère. Là là! Pas bouger. Rame bon. Rame pas faire mal. Vous perdu tête ; Rame pas se fâcher. »

Georges crut à son tour que le nègre se moquait de lui ; il sauta sur ses pieds et voulut frapper Rame, quand il entendit un grand éclat de rire et vit Mlle Primerose sortir du massif.

MADEMOISELLE PRIMEROSE

Arrêtez, chevalier de la triste figure. C'est moi et pas Rame qui vous ai apporté ces noisettes pour que vous ayez votre part de notre promenade.

GEORGES

C'est vous! Est-ce bien vrai?

MADEMOISELLE PRIMEROSE

Comment, si c'est vrai! puisque je te le dis. Crois-tu que je sache mentir comme toi?

GEORGES

Je ne mens pas.

MADEMOISELLE PRIMEROSE

Vraiment? Dis-moi donc comment tu as fait pour perdre la lettre à ton père et pour l'avoir perdue après l'avoir lue.

GEORGES

Laissez-moi tranquille ; où sont Jacques et Geneviève?

MADEMOISELLE PRIMEROSE

Ils sont où tu ne les trouveras pas, mon garçon; et
je ne te laisserai pas tranquille tant que tu auras tes
airs malhonnêtes; je veux t'apprendre les égards que
tu me dois, et je me plaindrai au besoin au Père
Recteur; mais ce ne sera pas toi que je chargerai de
ma lettre, tu peux *en* être bien sûr.

GEORGES

Je vous prie, ma cousine, de ne pas écrire au Père
Recteur; il se moquerait de vous, et il ne s'occupe pas
de ce que font les élèves en sortie.

MADEMOISELLE PRIMEROSE

Il s'occupe de tout, mon cher, et il est trop bien
élevé pour se moquer de moi. Ainsi, je te laisse pour
lui écrire; et je n'oublierai pas l'histoire de la lettre à
ton père.

GEORGES, *effrayé.*

Oh non! ma cousine; je vous en supplie, ne lui
écrivez pas. Je ne voulais pas être malhonnête, je vous
assure; je n'étais pas encore bien éveillé; je ne savais
pas ce que je disais.

MADEMOISELLE PRIMEROSE

Tu me fais pitié, malheureux enfant; tu es menteur
et plat. — Je te pardonne à cause de ton père, que tu
affliges assez pour que je n'augmente pas son chagrin.
Mais si tu fais ou si tu dis la moindre méchanceté à
Geneviève, à Jacques et à Rame, d'ici à ton départ,
j'écris au Père Recteur comme je te l'ai dit. »

Mlle Primerose s'en alla; Rame la suivit. Georges
resta seul, irrité et honteux. — Les enfants avaient
tout entendu. Ils restaient cachés par délicatesse, pour

que Georges n'eût pas à rougir devant eux. Jacques
fit un signe à ses amis et sortit du massif, tout doucement, suivi par eux, du côté opposé à celui où était
Georges; ils firent le tour du château et arrivèrent à
lui par l'autre bout de la pelouse.

« Te voilà enfin, dit Jacques; où as-tu été?

GEORGES

Je vous ai attendus, puis cherchés; je ne savais pas
où vous étiez; je me suis horriblement ennuyé.

GENEVIÈVE

Nous avons été avec Mlle Primerose faire une promenade du côté de Saint-Aimar, et nous avons ramené
Louis et Hélène.

GEORGES

Vous auriez bien pu m'attendre.

GENEVIÈVE

Écoute donc; mon oncle t'a appelé; nous ne savions
pas combien de temps il te garderait, et nous avons dû
suivre Mlle Primerose qui voulait nous amuser.

JACQUES

A présent que nous voilà réunis, profitons du temps
qui nous reste pour faire une partie de cache-cache
dans les bois, ou de colin-maillard.

— Cache-cache! crièrent-ils tous.

LOUIS

Lequel de nous l'est?

GEORGES

Ce sera Geneviève.

JACQUES

Du tout; nous allons tirer au sort. Rangeons-nous
tous en rond; je compte :

Pin pa ni caille,
Le roi des papillons,
Se faisant la barbe,
Se coupa le menton.
Un, deux, trois, de bois;
Quatre, cinq, six, de buis;
Sept, huit, neuf, de bœuf;
Dix, onze, douze, de bouse;
Va-t'en à Toulouse. »

A chaque syllabe Jacques touchait quelqu'un du doigt, sans s'oublier. Celui sur lequel tomba la dernière syllabe *louse* le fut. C'était Jacques lui-même.

« Je demande une chose : celui qui *le sera* aura Rame pour l'aider, parce que seul on ne pourra jamais attraper personne dans le bois. Le but est le gros chêne.

TOUS

C'est cela, appelons Rame.

— Rame, Rame! » se mirent-ils à crier tous ensemble.

Rame parut.

« Quoi vouloir à Rame? Petite Maîtresse demander Rame?

GENEVIÈVE

Viens, viens, mon bon Rame; aide-nous à jouer. Jacques *l'est;* nous allons nous cacher dans le bois et 'es massifs et tu aideras Jacques à nous attraper.

RAME

Moi content aider Moussu Jacques; moi courir fort. »

Ils rentrèrent haletants et fatigués; Mlle Primerose conseilla un ou deux petits verres de malaga ou de frontignan muscat avec des biscuits.

« Cela vous empêchera de prendre froid », dit-elle.

Le conseil fut trouvé excellent; chacun trempa deux ou trois biscuits dans les petits verres, qui pour les garçons furent remplis deux fois.

Ils se dirent tous adieu. Jacques avec un regret partagé par Geneviève et ses amis, car il devait passer les vacances chez ses parents. Les adieux de Georges furent plus gracieux que d'habitude; il les embrassa tous, y compris Mlle Primerose, et il daigna même faire un signe de tête à Rame. La voiture partit; Geneviève et ses amis rentrèrent pour se reposer jusqu'au dîner; ils jouèrent à des jeux tranquilles; ils dînèrent de bon appétit. A huit heures, la voiture de Mme de Saint-Aimar vint prendre ses enfants avec leur bonne; et Geneviève reprit le lendemain sa vie paisible et occupée.

XV

PORTRAIT DE RAME. — L'HABIT ROUGE

M. Dormère reprit, pour ne plus les perdre, sa froideur et son antipathie pour Geneviève. Il en voulait à Rame d'avoir apporté la lettre du Père Recteur, tout en comprenant l'injustice de ce sentiment. Rame aimait tendrement Geneviève, qui lui rendait son amitié, et M. Dormère s'en prenait à Geneviève de l'aversion de Rame contre Georges.

Bien des fois Mlle Primerose s'interposait, avec sa terrible franchise, entre Geneviève et son oncle qui la grondait sans cesse et ne lui accordait aucun plaisir, aucune distraction; il ne voulut même plus qu'elle dînât à table les jours où il y avait du monde; il lui défendit enfin de paraître au salon quand il y avait quelqu'un.

Mlle Primerose continuait l'éducation de Geneviève

et tâchait de lui faire accepter sans trop de chagrin
les fréquentes et injustes remontrances de son oncle,
ainsi que la froideur qu'il lui témoignait de plus en
plus.

Mlle Primerose acheva le portrait de Geneviève et
entreprit celui de Rame peint à l'huile. Il était difficile
de le faire poser convenablement, car il avait tellement
envie de voir, qu'à chaque instant il quittait sa place
pour juger de la ressemblance; le jour où elle couvrit
de noir le visage et les mains, il se laissa aller à une
joie si bruyante et si exaltée que Mlle Primerose fut
obligée de le gronder sérieusement.

« Rame, si vous continuez à remuer et à rire aux
éclats, je laisserai là ma peinture; je ne finirai pas
votre portrait et vous resterez sans nez et avec les
yeux pochés. Ce sera joli.

RAME

Oh! bonne Mam'selle; moi peux pas! Moi rire pas
par méchanceté; moi si content! moi peux pas tenir
la bouche fermée. Bien sûr, bonne Mam'selle, moi être
bien sérieux. Moi voudrais tant voir comment Mam'-
selle fait yeux à Rame, et nez à Rame, et bouche à
Rame.

MADEMOISELLE PRIMEROSE

Mais comment puis-je faire vos yeux, quand vous
les roulez de tous côtés; le nez, quand vous tournez la
tête à droite, à gauche; la bouche, quand vous parlez,
quand vous montrez les dents en riant?

RAME

Ça fait rien, Mam'selle; vous faire les dents; les
dents à moi jolies, blanches.

MADEMOISELLE PRIMEROSE

Vous n'y entendez rien; taisez-vous, je ne vous demande que cela. — Bien, ne bougez pas. — Tenez-vous donc tranquille, je vous dis. — Regardez-moi toujours; je fais les yeux. »

Au bout de cinq minutes, Rame changea de position.

MADEMOISELLE PRIMEROSE

Eh bien! que faites-vous? Vous voilà tourné de l'autre côté.

RAME

Ça fait rien. Moi fatigué; moi veux voir comme écrit petite Maîtresse.

MADEMOISELLE PRIMEROSE

Mais c'est impossible! Remettez-vous comme vous étiez.

RAME

Pourquoi impossible? Moi pas changer tête, yeux, figure; moi toujours Rame.

MADEMOISELLE PRIMEROSE

Alors je ne ferai plus rien, si vous ne voulez pas m'écouter.

GENEVIÈVE

Rame, reste tranquille, je t'en prie. Tu peux bien rester tranquille pendant une heure.

RAME

Moi rester tranquille un an pour petite Maîtresse.

GENEVIÈVE, *riant*.

Merci, Rame; quand j'aurai fini mon devoir de calcul, je te le dirai; tu pourras voir et bouger; j'en ai pour une heure. »

L'heure se passa merveilleusement; Rame ne bougea presque pas; sauf quelques petits sauts, quelques bâillements et mouvements nerveux, il posa très bien.

« C'est fini », dit enfin Geneviève.

D'un bond, Rame fut auprès de Mlle Primerose; il battit les mains, il rit aux éclats, il fit des pirouettes dans son admiration.

RAME

Petite Maîtresse venir voir. Comme Rame joli! Comme Rame a beaux yeux; tout blanc, tout noir!

GENEVIÈVE

A présent, va te reposer, mon pauvre Rame; va boire un verre de vin; pendant ce temps ma cousine me donnera un nouveau devoir à faire. »

Rame sortit en gambadant.

Mlle Primerose se leva.

« Je vais me reposer aussi un instant. Je me suis tant dépêchée que j'en ai le poignet fatigué. »

Tous les jours les mêmes scènes recommençaient. Pourtant, lorsqu'au bout de cinq ou six jours la tête fut terminée, se détachant sur un beau ciel bleu sans nuages, Rame fut enchanté. Mais sa joie ne fut pas de longue durée. Il devint triste.

« Pauvre Rame! s'écria-t-il.

MADEMOISELLE PRIMEROSE

Pourquoi Pauvre Rame? Qu'y a-t-il encore?

RAME

Pauvre Rame, pas d'habit. Tête coupée, pas de corps.

Rame a demandé que je fasse son portrait
en habit rouge. (P. 128.)

MADEMOISELLE PRIMEROSE, *riant.*

Mais, imbécile, tu ne comprends donc pas que je ferai le corps après avoir fini la tête? Tu n'as pas encore compris que je ne peux pas tout faire à la fois! Aujourd'hui je commencerai le cou et les épaules; demain je le finirai.

GENEVIÈVE

Et tu auras un superbe habit. Comment le veux-tu?

RAME

Moi veux rouge avec or, comme capitaine anglais.

MADEMOISELLE PRIMEROSE

Mais tu auras l'air d'un danseur de corde, mon brave homme.

RAME, *avec fierté.*

Rame pas danseur. Dans pays à Rame, grand chef mettre habit rouge avec or. Habit superbe! Grand chef tuer capitaine anglais et prendre habit. Rame veut habit comme grand chef.

MADEMOISELLE PRIMEROSE

Eh bien! tu l'auras, mon ami. Tu seras en grand chef comme celui de ton pays.

RAME

Et moi envoyer portrait à pays, et tous croire Ramoramor grand chef à blancs.

GENEVIÈVE

Et sais-tu ce que je ferai, Rame? Je demanderai à ma bonne de te faire un superbe habit rouge avec or, et tu le mettras les jours de grandes fêtes. »

Pour le coup, Rame ne put contenir sa joie; il sauta, pirouetta, cria, chanta. Jamais on ne l'avait vu dans une joie pareille. Il courut chez Pélagie dans une si

grande exaltation de bonheur, qu'elle le crut fou et
qu'elle ne se rassura que lorsque Mlle Primerose et
Geneviève lui eurent raconté ce qui s'était passé.

Rame, de son côté, annonça à toute la maison qu'il
allait être grand chef tout rouge et or. Personne ne
comprit ses explications entremêlées de bonds et de
rires; mais il fit un tel tapage et tout le monde autour
de lui riait si fort et l'interrogeait d'une façon si
bruyante que M. Dormère, qui se promenait dans les
environs, vint voir ce qui se passait dans la cuisine.
Quand on lui eut appris la cause de ce bruit, il se mit
à rire lui-même de la figure que ferait le nègre en
grand chef de sauvages, et il monta chez Mlle Primerose pour avoir l'explication plus complète de la
grande joie de Rame.

La première chose qu'il vit en entrant, ce fut le
portrait du nègre.

M. DORMÈRE

Qui est-ce qui a fait cela?

MADEMOISELLE PRIMEROSE

C'est moi, mon cousin, pour ne pas perdre
l'habitude du pinceau.

M. DORMÈRE

Mais c'est très bien. C'est frappant! — Et c'est une
fort belle peinture. — Très belle, je vous assure. —
Je ne connais pas d'amateurs qui eussent pu si bien
réussir. Je ne vous connaissais pas ce beau talent, ma
cousine; je vous en fais mon sincère compliment. —
Comme c'est bien rendu! — Et bien posé. Rien n'y
manque.

MADEMOISELLE PRIMEROSE

Que l'habit, mon cousin. Figurez-vous que Rame a demandé et que je lui ai promis de l'habiller en rouge et or.

M. DORMÈRE

C'est ce que j'ai appris en bas à la cuisine, où ils sont groupés autour de Rame qui saute et qui crie; à eux tous ils font un tapage infernal.

MADEMOISELLE PRIMEROSE

Je n'ai jamais vu un homme si heureux! Il a manqué de nous étouffer dans un élan de joie.

XVI

PORTRAIT DE RAME CORRIGÉ PAR GEORGES

Quand le temps des vacances arriva, M. Dormère revint à Plaisance avec Georges, les mains vides de prix, tandis que le père de Jacques l'emmenait chargé de lauriers; il avait eu des prix dans toutes les compositions, et il avait reçu les compliments et les éloges que méritaient son excellente conduite, son travail persévérant et son exacte obéissance. Cette année il revenait encore une fois l'un des meilleurs élèves de Vaugirard. Geneviève regretta que Georges ne fût pas comme Jacques, mais elle fit son possible pour lui faire le meilleur accueil. Elle lui fit voir ce qu'il ne connaissait pas, et entre autres choses le portrait achevé de Rame.

« Qu'est-ce que c'est que ce vêtement de paillasse? dit Georges en éclatant de rire.

GENEVIÈVE, *embarrassée*.

C'est le bel habit de fête que mon oncle a bien voulu accorder à Rame; il est si heureux quand il le met, qu'il fait plaisir à voir.

GEORGES

C'est un habit de bouffon, ma chère; je m'étonne que papa ait consenti à une chose aussi ridicule, et que ma cousine Primerose ait bien voulu le peindre ainsi costumé.

GENEVIÈVE

Ma cousine a fait voir ce portrait à plusieurs personnes du voisinage. Elles l'ont trouvé très beau.

GEORGES

Il est horrible, ridicule; s'il était à moi, je le couperais en morceaux immédiatement.

GENEVIÈVE

Heureusement qu'il n'est pas à toi, mais à moi, car ma cousine a bien voulu me le donner.

GEORGES

Beau trésor à conserver! Tiens, je m'en vais, il me fait mal au cœur à regarder. »

Et il sortit de l'appartement.

Quelques jours avant la fin des vacances, Georges refusa d'accompagner Mlle Primerose et Geneviève dans une promenade qu'elles allaient faire dans les champs. Rame devait les suivre, comme toujours. — Un quart d'heure après leur départ, Georges entra sans bruit chez Mlle Primerose, retroussa ses manches, prit les pinceaux et la palette chargée de couleurs, grimpa sur une chaise et se mit à barbouiller le portrait

de Rame, tout en parlant haut comme si le pauvre
nègre pouvait l'entendre :

« Attends, coquin, dit-il, je vais te peindre, moi; je
vais te faire des cornes comme à un diable que tu es.
— Je vais te barbouiller ton habit de noir. — Là! te
voilà bien maintenant! Tu ne seras plus fier et tu ne
danseras plus devant ton horrible portrait. — Je suis
content d'avoir pu t'arranger ainsi. Il y avait
longtemps que j'attendais le moment. »

A peine eut-il fini ce dernier mot, qu'il entendit un
cri semblable à un rugissement. Il se retourna avec
effroi : il n'y avait personne. Dans les premiers
moments de sa frayeur il resta immobile, ne sachant
d'où provenait ce cri terrible qui n'avait rien d'humain.

Il se dépêcha de tout mettre en place et il se sauva
dans sa chambre, inquiet, écoutant les bruits du
dehors. Une demi-heure se passa sans qu'il entendit
rien d'alarmant. Enfin un cri suivi de plusieurs autres
retentit dans le bois. Georges écoutait; les cris se
rapprochaient, mais devenaient plus faibles. Enfin des
voix confuses s'y mêlèrent; il distingua celle de
Mlle Primerose couvrant celle plus douce de Geneviève. Il reconnut aussi la voix de Rame entrecoupée
de gémissements. Tout s'apaisa en approchant du
château; plusieurs personnes montèrent précipitamment l'escalier et se dirigèrent vers l'appartement de
Mlle Primerose.

« Je suis perdu, se dit-il; quelqu'un m'aura vu et
aura été avertir la grosse Primerose, la sotte Geneviève et cet imbécile de nègre. — On n'a pas pu me
reconnaître, j'espère. — Quand je me suis retourné,

il n'y avait plus personne. — Je dirai que ce n'est pas moi. — Ils croiront ce qu'ils voudront; je soutiendrai que je ne suis pas sorti de ma chambre. — Vite un livre devant moi. »

En prenant le livre, il s'aperçut qu'il avait de la couleur aux mains; il se dépêcha de les savonner, de les brosser, jusqu'à ce qu'il ne restât plus de traces de couleur. Mais... on ne pense pas à tout quand la conscience est troublée; il oublia de vider la cuvette colorée de rouge et de noir, et de retourner le bas de ses manches, qui avaient touché à la couleur et qui en avaient en dedans ainsi que les manches de sa chemise. Il reprit son livre et attendit.

Pendant qu'il préparait son mensonge en faisant disparaître les traces de sa méchanceté, Rame, car c'était lui qui avait surpris Georges et qui s'était enfui en poussant ce cri terrible, Rame sanglotait devant son portrait.

RAME

Vous venir voir, Mam'selle Primerose, vous voir, petite Maîtresse : pauvre Rame diable, pauvre Rame des cornes, Rame plus habit rouge grand chef. Pauvre Rame! Rame mourir de chagrin! »

Geneviève pleurait du désespoir de son pauvre Rame; Mlle Primerose était consternée.

MADEMOISELLE PRIMEROSE

Tu es sûr que c'est Georges qui a fait cela? Tu l'as vu?

RAME

Moi voir Moussu Georges monté sur chaise et faire noir habit. Moi pousser grand cri et courir chercher

Mam'selle Primerose et petite Maîtresse. Quoi faire, bonne Mam'selle ? Comment laver ?

MADEMOISELLE PRIMEROSE, *avec joie.*

Laver! la bonne idée! Vite, un torchon, de l'huile. Je vais tout raccommoder!

RAME

Voilà torchon. Comment torchon raccommoder ?

MADEMOISELLE PRIMEROSE

Tu vas voir. Va vite demander à Pélagie trois vieux chiffons et de l'huile. »

Mlle Primerose décrocha le tableau, le posa sur son chevalet et avec le torchon se mit à enlever la couleur encore toute fraîche du visage, puis de l'habit, et le tout reprit sa couleur; elle acheva le nettoyage avec les torchons et l'huile qu'apporta Rame. En un quart d'heure il ne restait rien des couleurs de Georges; et celles de dessous, qui étaient bien sèches, reparurent aussi belles qu'auparavant.

Rame témoigna sa joie en se jetant aux genoux de Mlle Primerose et en lui baisant les pieds. Geneviève était enchantée du bonheur de Rame et embrassait Mlle Primerose en la remerciant mille fois.

« A présent, dit Mlle Primerose, je vais me laver les mains; j'irai ensuite raconter à M. Dormère l'abominable méchanceté de son cher Georges, et nous verrons bien s'il osera la lui pardonner. »

Geneviève, cette fois, ne demanda pas grâce pour son cousin; elle avait été indignée du chagrin qu'il avait causé au pauvre Rame, et elle-même trouvait que Georges méritait une punition sévère.

XVII

FAIBLESSE PATERNELLE

MADEMOISELLE PRIMEROSE, *entrant chez M. Dormère.*

Eh bien! mon cousin, votre Georges vient de faire une jolie méchanceté.

M. DORMÈRE, *souriant.*

A Geneviève sans doute? Il lui a emmêlé un écheveau de laine ou déchiré une robe?

MADEMOISELLE PRIMEROSE

Non, je ne vous aurai pas dérangé pour si peu de chose; ce n'est pas à Geneviève qu'il a joué un tour abominable, mais à moi.

M. DORMÈRE

A vous, ma cousine? Comment aurait-il osé? Il y a sans doute quelque erreur.

MADEMOISELLE PRIMEROSE

Aucune erreur n'est possible, Monsieur, et quant à
oser, votre méchant Georges ose tout. Pourquoi
n'oserait-il pas? Il sait si bien qu'il n'y a rien à
craindre.

M. DORMÈRE

Mais qu'est-ce donc, ma cousine? Veuillez
m'expliquer...

MADEMOISELLE PRIMEROSE

Ce sera facile à comprendre. Vous connaissez le
portrait que j'ai fait de Rame?

M. DORMÈRE

Certainement, et peint avec beaucoup de talent.
Est-ce que Georges se serait permis de le blâmer?

MADEMOISELLE PRIMEROSE

Ce ne serait pas un grand crime : d'abord il n'y
connaît rien et son jugement m'importe peu; et puis
chacun est libre d'avoir son goût.

M. DORMÈRE

Mais qu'a donc fait Georges? Je ne devine pas en
quoi il a pu vous fâcher à propos de ce portrait.

MADEMOISELLE PRIMEROSE

Il a imaginé d'abîmer mon travail qui représentait
un homme qu'il déteste, qui appartenait à Geneviève
qu'il cherche à chagriner de toutes façons, et qui était
fait par moi qu'il n'aime pas davantage. M. Georges
est monté sur une chaise après avoir pris ma palette,
mes couleurs et mes pinceaux; il a barbouillé la figure
de Rame, il lui a peint deux cornes sur la tête, il a
couvert de noir son bel habit rouge; et pendant qu'il
était à ce beau travail, il a été surpris par Rame, qui

n'était pas sorti avec nous et qui l'a pris sur le fait; ainsi il ne pourra pas nier cette fois.

M. DORMÈRE, *irrité.*

Georges a fait cela? Rame est-il bien sûr que ce soit lui?

MADEMOISELLE PRIMEROSE

Puisqu'il l'a vu, de ses deux yeux vu! Rame a jeté un cri et il a couru dans le parc pour m'avertir; nous sommes revenues avec lui et nous avons tous vu ce que je viens de vous dire.

M. DORMÈRE, *avec colère.*

C'est trop fort, en vérité! Ce n'est pas supportable. Où est-il?

MADEMOISELLE PRIMEROSE

Je n'en sais rien : vous pensez bien que, se voyant découvert, il n'est pas resté là à m'attendre. Il se sera sauvé quelque part. »

M. Dormère sortit de son cabinet, suivi de Mlle Primerose, et commença par entrer chez Georges, qu'il trouva, à sa grande surprise, endormi, la tête et les bras appuyés sur son livre.

« Georges! », s'écria M. Dormère.

Georges s'éveilla en sursaut, se frotta les yeux comme quelqu'un qui a peine à les ouvrir et répondit d'une voix endormie :

« Quoi, papa? Je dormais; j'étais fatigué de lire.

M. DORMÈRE

Pourquoi as-tu abîmé le portrait de Rame peint par ma cousine?

GEORGES

Abîmé! le portrait de Rame! Moi? Comment? Quand?

M. DORMÈRE

Tout à l'heure, Monsieur; et Rame vous a vu barbouillant ce portrait.

GEORGES

Rame! Où donc? Je n'ai pas vu Rame. Je n'ai pas vu le portrait.

M. DORMÈRE

Vous étiez chez Mlle Primerose quand Rame y est entré.

GEORGES

Je n'ai pas été chez ma cousine; je ne comprends rien; je ne sais pas ce que vous voulez dire, papa. »

M. Dormère commençait à douter et à regarder Mlle Primerose avec étonnement. La cousine, qui connaissait la fausseté de Georges, s'étonnait aussi, non pas de l'accusation, dont elle ne doutait pas, mais de l'impudence de Georges et du calme avec lequel il niait.

MADEMOISELLE PRIMEROSE

Comment, Georges, vous osez nier avec autant d'assurance ce que Rame vous a vu faire et ce que j'ai fait?

GEORGES

Mais qu'est-ce qu'il m'a vu faire? C'est cela que je vous demande, ma cousine.

MADEMOISELLE PRIMEROSE

Il vous a vu, monté sur une chaise, barbouillant son portrait de noir et de rouge.

GEORGES

Ah! par exemple! Il n'osera pas le répéter devant moi.

— C'est ce que nous allons voir », dit Mlle Primerose avec indignation. Elle sortit précipitamment.

M. DORMÈRE, *serrant les deux mains de Georges.*

Georges, je t'en supplie, dis-moi la vérité; à moi seul; à moi ton père, qui t'aime, qui te croit, qui te pardonnera si tu avoues franchement ta faute, laquelle, au total, est plus une espièglerie qu'une méchanceté. Dis-moi, mon fils, est-ce Rame qui s'est trompé en croyant te reconnaître, ou si c'est toi qui me trompes en niant la vérité? »

Georges eut un instant d'hésitation, il fut sur le point d'avouer sa faute, de se jeter au cou de son père dont la bonté le touchait.

GEORGES

Papa, dit-il, papa, Rame..., Rame s'est trompé; il a pris un autre pour moi. Je vous jure que je ne l'ai pas vu depuis le déjeuner.

M. DORMÈRE

— Je te crois, mon ami, je te crois. J'entends ma cousine; je la détromperai, car elle est persuadée que c'est toi.

GEORGES

Et chassez ce vilain Rame, mon cher papa, qui cherche toujours à me nuire près de vous.

MADEMOISELLE PRIMEROSE

Voici Rame que je vous amène, mon cousin. Interrogez-le vous-même; vous jugerez après.

M. DORMÈRE

Rame, quand avez-vous vu Georges et qu'avez-vous vu?

RAME

Moussu Dormère, moi entrer chez Mam'selle Prime-rose, moi voir Moussu Georges monté sur grande chaise rouge; lui tenir dans les mains pinceaux, palette à Mam'selle Primerose; moi voir pauvre Rame avec cornes, avec habit laid, noir; moi effrayé voir Rame diable, moi pousser grand cri, et moi courir vite cher-cher Mam'selle Primerose et petite Maîtresse. Voilà quoi voir Rame.

M. DORMÈRE

Mon cher, Georges n'a pas bougé de sa chambre; vous vous êtes trompé, ce n'était pas Georges.

RAME

Moi assure moi avoir vu Moussu Georges; moi jure c'était Moussu Georges. Lui faire Rame diable.

M. DORMÈRE

Et moi je vous dis que vous êtes un menteur et comme je ne veux pas que mon fils soit victime de votre méchanceté, je vous chasse de chez moi et je vous défends d'y jamais rentrer.

— Petite Maîtresse! petite Maîtresse! » s'écria douloureusement le pauvre Rame; et il se jeta aux pieds de Mlle Primerose en implorant sa protection.

GEORGES, *triomphant.*

Et puis, papa, si j'avais peint tout cela, comme dit Rame, j'aurais de la couleur aux mains, et voyez les miennes; elles sont propres et sans couleur. »

Rame restait atterré des paroles de M. Dormère et

de l'impudence de Georges. Mlle Primerose n'était pas moins indignée, mais elle n'avait aucune preuve pour justifier le pauvre Rame et démontrer les mensonges de Georges. Se tournant de tous côtés pour trouver quelques traces de couleurs, elle aperçut la cuvette pleine d'eau rouge et noire.

MADEMOISELLE PRIMEROSE

Qu'est-ce que c'est? il y a de la couleur dans cette eau sale. »

Georges tressaillit et rougit, mais ne répondit pas. Mlle Primerose s'approcha de lui, saisit ses mains et, les regardant attentivement, elle aperçut sous les manches de la veste celles de la chemise qui étaient tachées de noir et de rouge. Elle retourna promptement les manches de drap : le dedans avait de la couleur rouge et noire toute fraîche, la chemise également.

MADEMOISELLE PRIMEROSE

Qu'est-ce que c'est, monsieur Dormère? Est-ce de la couleur? Qu'en pensez-vous? »

M. Dormère, éclairé sur la vérité, repoussa rudement Georges, qui tomba dans un fauteuil en cachant son visage avec ses mains.

MADEMOISELLE PRIMEROSE

Parlez, monsieur Dormère, parlez. Lequel des deux mérite d'être chassé? »

M. Dormère ne répondit pas d'abord, mais, sur l'insistance de Mlle Primerose qui tenait à ce que justice fût faite, il se leva; son visage pâle et altéré répondit par avance à l'interrogation de Mlle Primerose.

« Laissez-moi, de grâce, dit-il, laissez-moi seul avec

Qu'est-ce que c'est? Il y a de la couleur
dans cette eau sale! (P. 140.)

Georges. — Reste, toi, continua-t-il en s'adressant à
Georges qui cherchait à sortir. Mais, avant de laisser
partir ta cousine et Rame, demande leur pardon. —
Tout de suite. — Obéis-moi. — A genoux! » Et,
appuyant ses mains sur les épaules de Georges, il le
força à se mettre à genoux et à répéter les paroles
d'excuses que lui dictait son père.

« A présent, dit M. Dormère, laissez-moi, ma
cousine, et emmenez votre pauvre Rame. »

S'approchant de Mlle Primerose, il lui dit très bas :

« Je vous prie, ma chère cousine, de ne parler de
tout cela à personne; et dites à Rame de ne pas en
parler dans la maison. »

Mlle Primerose lui serra la main en signe d'assen-
timent et sortit avec Rame.

Quand M. Dormère resta seul avec Georges, il lui
dit avec tristesse :

« Vois, Georges, ce que tu as amené par ton indigne
conduite. Au lieu d'expier ta méchanceté par un aveu
complet de ta faute, tu mens, tu laisses accuser un
domestique auquel je suis forcé de te faire faire des
excuses. Oh! Georges, quelle honte pour toi et pour
moi! Crois-tu que je n'aie pas partagé ton humiliation?
Pourquoi ne m'as-tu pas tout avoué quand je te l'ai
demandé avec une tendresse qui aurait dû t'ôter
toute crainte? Je ne peux plus te mettre en présence
de Mlle Primerose et de Rame, ce malheureux Rame
que tu voulais me faire chasser. Ce soir je t'emmène
à Paris; nous irons achever les vacances chez un de
mes oncles et tu iras continuer tes études à Arcueil,

dans le collège des Pères Dominicains. Mais, Georges, réfléchis sur ta conduite, et si tu veux que je te pardonne, promets-moi de ne plus me causer des chagrins qui me rendent si malheureux.

GEORGES

Oui, papa, je vous le promets; vous serez content de moi à l'avenir, croyez-le. »

M. Dormère embrassa Georges, qui avait retrouvé son calme depuis qu'il se sentait délivré de la crainte d'une punition plus sévère qu'il savait avoir méritée. — Le reste de l'après-midi fut employé à tout préparer pour le départ. Vers cinq heures, la voiture, chargée de leurs malles, alla les attendre sur la grande route; ils prirent le chemin de fer et arrivèrent à Paris deux heures après.

Vers l'heure du dîner, un domestique apporta une lettre pour Mlle Primerose.

MADEMOISELLE PRIMEROSE

De qui cette lettre, Pierre?

PIERRE

De Monsieur, qui m'a commandé de la remettre à Mademoiselle à six heures.

MADEMOISELLE PRIMEROSE

De M. Dormère! Que peut-il avoir à m'écrire? »

Mlle Primerose lut la lettre avec la plus grande surprise. Elle lui annonçait le départ, l'absence de Georges, son entrée au collège d'Arcueil et la résolution de M. Dormère de vivre seul à l'avenir. Il la priait instamment de placer Geneviève dans un pensionnat dont il laissait le choix à sa cousine. Il ajoutait que

Rame devait chercher à se pourvoir d'une place ou d'une occupation quelconque, car il ne rentrerait lui-même à Plaisance que lorsqu'il serait assuré de n'y plus trouver ceux qui avaient occasionné à son fils et à lui-même une humiliation qu'il ne pourrait jamais oublier.

XVIII

PLAISANCE DEVIENT DÉSERT

La lecture de cette lettre causa à Mlle Primerose une surprise et un mécontentement qu'elle se sentit le besoin impérieux de communiquer à quelqu'un; elle appela Geneviève et Pélagie.

MADEMOISELLE PRIMEROSE

Eh bien! chère petite, et vous, Pélagie, voilà du nouveau! — Une nouvelle incroyable. Savez-vous la sottise que fait mon absurde cousin, le seigneur Dormère? Il est parti! parti avec son gredin de Georges.

PÉLAGIE

Parti! Pour où donc? Et Pourquoi?

MADEMOISELLE PRIMEROSE

Parti pour je ne sais où, ma chère. Et pourquoi? Il ne le dit pas, mais c'est pour son gredin de Georges, j'en suis sûre.

GENEVIÈVE

Et quand mon oncle reviendra-t-il?

MADEMOISELLE PRIMEROSE

Ah! voilà le plus abominable de l'affaire. Il reviendra quand moi, Pélagie, Geneviève et Rame aurons quitté la maison pour n'y plus revenir.

GENEVIÈVE

Ah! mon Dieu! il me chasse? il nous chasse tous? Et pourquoi? Qu'avons-nous fait?

MADEMOISELLE PRIMEROSE

Voilà ce que vous ne savez pas, pauvres infortunées, et ce que je sais, moi. Il nous chasse parce que Georges est, comme je l'ai dit, un gredin, un gueux fieffé, un abominable coquin.

GENEVIÈVE

Mais qu'a fait Georges? Je ne comprends pas, moi.

PÉLAGIE

Ni moi non plus; je n'y comprends pas un mot.

MADEMOISELLE PRIMEROSE

C'est que j'avais gardé le secret d'une scène terrible que nous avons eue chez Georges. »

Mlle Primerose, enchantée de pouvoir se décharger d'un secret, raconta dans tous ses détails, avec les explications les plus accablantes pour Georges, toute la scène qui s'était passée à trois heures. Elle fit partager son indignation à Pélagie et même à Geneviève, que la douleur de Rame avait beaucoup affligée.

GENEVIÈVE, *pleurant.*

Mon Dieu, mon Dieu, qu'allons-nous devenir, mon pauvre Rame, Pélagie et moi? Et vous, ma cousine, qui avez été si bonne pour moi, qui m'avez fait tant

de bien, que j'aime tant, vous allez donc nous quitter?
Je ne vous verrai plus?

MADEMOISELLE PRIMEROSE, *d'un air décidé*.

Non, non, ma chère petite; sois tranquille; je te
verrai, tu me verras, tu verras Rame et Pélagie. J'ai
aussi mes petits projets, moi; et je vexerai ce seigneur
pacha qui veut nous vexer pour venger son cher fils de
la honte qu'il s'est attirée par sa scélératesse. Ah! mon
beau cousin; vous voulez nous punir, nous affliger tous
du même coup de filet! Du tout, du tout. Je ne vous
laisserai pas faire; je suis là, moi. — Voici ce que je
vais faire. — Je vais prendre une maison à Auteuil, à
la porte de Paris. Je vais m'y installer avec toi, avec
Pélagie, Azéma et Rame. Tu iras en pensionnaire
externe chez les Dames de l'Assomption; tu mangeras
et tu coucheras chez moi; tu seras tranquille, heureuse.
Ton oncle enragera, et je me moquerai de lui, je ne
perdrai pas une occasion de le faire enrager.

GENEVIÈVE, *l'embrassant*.

Merci, ma bonne cousine, de votre bonne pensée;
mais mon oncle le voudra-t-il?

MADEMOISELLE PRIMEROSE

Il faudra bien qu'il le veuille; j'ai sa lettre qui
m'autorise à faire de toi ce que je voudrai. Et je veux
cela, moi; il ne peut pas m'en empêcher.

PÉLAGIE

Mais, Mademoiselle, permettez-moi de vous faire
observer que ce sera un établissement bien cher; votre
fortune pourra-t-elle suffire à la dépense?

MADEMOISELLE PRIMEROSE

Soyez tranquille là-dessus, ma bonne Pélagie;

d'abord, j'ai vingt mille livres de rente à moi; et puis, ne doit-il pas payer, lui, l'entretien de sa pupille? Je lui ferai payer quinze mille francs par an pour elle et ses gens; et nous verrons s'il osera les refuser, avec la fortune qu'elle possède. Je suis contente d'avoir trouvé cela, Azéma, Azéma, venez vite! »

Azéma entra.

« Que veut Mademoiselle?

MADEMOISELLE PRIMEROSE

Je veux, ma chère, que vous alliez demain matin à Paris. Vous irez à Auteuil; vous courrez toutes les rues qui se trouvent près du couvent de l'Assomption; vous entrerez dans toutes les maisons à louer. Il m'en faut une qui puisse contenir une dame avec une petite fille de dix à douze ans, une bonne, une femme de chambre et un domestique, il faut une salle à manger, un salon, des chambres à coucher, une salle d'étude et le reste.

« Vous comprenez?

AZÉMA

Oui, Mademoiselle.

MADEMOISELLE PRIMEROSE

Si vous trouvez une maison avec un jardin, ce sera mieux.

AZÉMA

Oui, Mademoiselle.

MADEMOISELLE PRIMEROSE

Il faut une cuisine, une antichambre, cave à vin, cave à bois, grenier. Vous comprenez?

AZÉMA

Oui, Mademoiselle.

MADEMOISELLE PRIMEROSE

C'est bien, vous prendrez le chemin de fer de sept heures, demain matin; vous reviendrez le soir; plus tôt, si vous avez trouvé ce que je vous demande. Vous comprenez?

AZÉMA

Ce n'est pas difficile à comprendre, Mademoiselle.

XIX

ANNÉES DE PENSIONNAT ET DE COLLÈGE

Le projet de Mlle Primerose s'exécuta heureusement; elle alla voir une maison que lui indiqua Azéma et qui se trouvait tout près de l'Assomption; les dames du pensionnat consentirent à recevoir Mlle Dormère en externe avec la modification du repas de midi. Geneviève devait arriver à huit heures du matin et ne rentrer chez sa cousine qu'à six heures pour dîner; elle jouissait ainsi des récréations avec ses compagnes. Rame ou Pélagie la menaient et la ramenaient; Pélagie était chargée de faire la cuisine.

Geneviève se trouvait parfaitement heureuse. Mlle Primerose la menait chez son oncle une ou deux fois par mois; elle y rencontrait quelquefois Jacques, qui la voyait aussi chez elle à Auteuil, mais pas Georges, dont les jours de sortie ne s'accordaient pas avec les siens; ni l'un ni l'autre ne le regrettèrent.

Pendant les sept années que Geneviève passa au couvent, elle n'alla pas une seule fois passer les vacances à Plaisance; son oncle menait Georges aux eaux et chez des parents ou des amis. Tous les ans Geneviève allait avec Mlle Primerose, Rame et Pélagie, soit aux bains de mer, soit en Suisse, près de Genève, où Mlle Primerose avait une vieille tante qui l'aimait beaucoup et qui avait pris Geneviève en grande amitié.

Georges pendant ce temps devenait de plus en plus paresseux, insubordonné et méchant. La première communion, qui avait donné à Geneviève une bonne et solide piété, n'avait produit aucun effet sur le cœur et l'âme de Georges. Quand il quitta son collège d'Arcueil à l'âge de dix-huit ans, son père l'établit à Paris pour achever ses études. Il profita de sa liberté non pour travailler, mais pour dépenser de l'argent et faire des sottises; il allait souvent au spectacle, il donnait à ses amis des déjeuners et des dîners aux restaurants les plus élégants; il devenait enfin un dépensier et un mauvais sujet. Malgré les libéralités de son père, il avait des dettes qu'il n'osait pas avouer.

La conduite de Jacques avait été bien différente. Après avoir brillamment fait ses classes au collège de Vaugirard, il travailla avec la même ardeur à passer son examen de bachelier; il fut reçu avec distinction. Il fit ensuite son droit, passa de brillants examens et fut reçu docteur ès lettres.

Pendant ces dix années il ne négligea jamais sa petite cousine et amie Geneviève et Mlle Primerose. Au collège il trouvait toujours le temps, à chaque sortie, d'aller passer une heure ou deux avec elles. Et quand il quitta le collège et qu'il eut plus de liberté, il ne passait jamais plus de deux jours sans aller les voir, et il leur consacrait toujours la journée du dimanche; de sorte l'amitié des deux enfants ne subit aucune interruption et devint une amitié fraternelle des plus tendres.

Quand à Georges, il n'avait pas vu Geneviève depuis les dix années qu'ils s'étaient séparés à Plaisance; elle avait dix-huit ans, et depuis deux ans elle avait quitté le couvent.

Au bout de ce temps M. Dormère engagea Mlle Primerose et Geneviève à venir passer un mois ou deux à Plaisance.

« Georges y sera aussi, dit-il; vous referez connaissance. Te voilà tout à fait jeune personne, Geneviève; Georges a vingt-trois ans; il n'y a plus à craindre les querelles d'autrefois.

MADEMOISELLE PRIMEROSE

Nous acceptons avec plaisir, mon cousin. Geneviève désire beaucoup se retrouver à Plaisance; elle sera fort contente d'y trouver son cousin. Mais, mon cousin, j'ai une demande à vous faire.

M. DORMÈRE

Elle est accordée d'avance, ma cousine.

MADEMOISELLE PRIMEROSE

Permettez-moi d'amener Rame et Pélagie pour notre service particulier.

M. DORMÈRE, *souriant.*

Mais cela va sans dire, ma cousine; le pauvre Rame peut-il vivre sans « petite Maîtresse? »

On convint d'arriver à Plaisance huit jours après le
commencement des vacances, quand Georges serait
libéré de ses cours. Geneviève se réjouit beaucoup de
l'invitation de son oncle et attendit avec impatience le
jour du départ. Rame fut enchanté de se retrouver à
Plaisance avec Geneviève, qu'il n'appelait plus *petite
Maîtresse*, mais *jeune Maîtresse* ou *jolie Maîtresse*.
Geneviève lui avait défendu de l'appeler *jolie
Maîtresse*, mais pour la première fois il refusa de lui
obéir.

RAME

Bonne petite Maîtresse, laisser Rame dire *jolie Maîtresse;* vous si jolie! Tout le monde dire : Oh! la jolie
mam'selle! oh! Rame heureux avoir si jolie Maîtresse.
Rame fier, Rame content dire : jolie Maîtresse.

GENEVIÈVE

Fais comme tu voudras, mon pauvre Rame; mais
c'est ridicule, je t'assure.

RAME

Quoi ça fait à Rame? Moi rire de moqueur ridicule.
Moi dire : jolie Maîtresse. »

Tout ce que put obtenir Geneviève fut que Rame ne
l'appellerait pas *jolie Maîtresse* en lui parlant à elle-
même ou en sa présence.

Quand Geneviève et Mlle Primerose arrivèrent à la
station de Plaisance, elles trouvèrent M. Dormère qui
les attendait à la gare avec sa voiture; elles furent très
sensibles à cette attention, et l'en remercièrent.

M. DORMÈRE

C'est bien naturel que je vienne vous chercher moi-

même pour vous réinstaller chez moi. Georges vous
attend à la maison.

GENEVIÈVE

Je serai bien contente de le revoir, mon oncle; il y
a si longtemps que je ne l'ai vu.

M. DORMÈRE

Lui aussi attend ton arrivée avec impatience. »

Peu d'instants après, elles descendirent de voiture;
Georges n'y était pas. M. Dormère en fut contrarié.

« Où peut-il être? dit-il avec un peu d'humeur.

Pendant que ces dames prenaient le chemin connu
de leur appartement et que Pélagie et Rame défai-
saient leurs paquets, M. Dormère se mit à la recherche
de Georges, qu'il trouva finissant sa toilette dans sa
chambre.

———

XX

GEORGES ET GENEVIÈVE

Georges avait terminé sa toilette; il se regardait avec complaisance dans son armoire à glace, et son air satisfait laissait voir qu'il était sûr de son succès.

Il quitta son père, qui lui avait recommandé d'être aimable et empressé auprès de sa cousine, pour aller chez Geneviève; il frappa à la porte; une voix douce lui dit : « Entrez ».

Georges entra et s'arrêta un instant à la porte.

GENEVIÈVE, *courant à lui.*

C'est toi, Georges? Je suis contente de te revoir! Il y a si longtemps! »

Georges l'embrassa à plusieurs reprises avant de parler. Il semblait ému, mais il cherchait surtout à faire bonne impression, car son père lui avait dit qu'il devait chercher à épouser Geneviève.

Georges

Geneviève! Ma cousine, ma sœur, avec quel bonheur je te retrouve! J'ai tant pensé à toi! Je suis si heureux de notre réunion! »

Il s'arrêta, regarda autour de lui et continua d'un air pénétré.

« Cette chambre me rappelle des souvenirs bien pénibles. C'est ici que j'ai commis une action dont le souvenir et la honte m'ont si longtemps poursuivi. Je sentais si bien que j'avais mérité ton mépris!

Geneviève

Comment! tu y penses encore depuis tant d'années? Quelle folie, Georges! Crois-tu que je te juge sur les actes de ton enfance, que j'aie pu t'en conserver de la rancune? Tout cela me revient comme un rêve. Il faut que tu l'oublies comme moi et que nous commencions une nouvelle vie d'amitié sans nous souvenir du temps de notre enfance. »

Mlle Primerose entra; Georges s'avança vivement vers elle et l'embrassa avec tendresse.

Mademoiselle Primerose, *étonnée.*

Tu m'aimes donc, toi? Je croyais que tu me détestais toujours.

Georges, *avec animation.*

Moi, vous détester? Ah! ma cousine, ne me jugez pas d'après mon triste passé; depuis des années je désire vous revoir, vous renouveler volontairement les excuses que mon père m'a forcé de vous faire la dernière fois que je vous aie vue; j'attendais avec impatience le jour où nous nous retrouverions dans

cette même demeure où vous m'avez connu si
méchant.

MADEMOISELLE PRIMEROSE, *froidement.*

Tout cela est très bien, mon ami. Mais pourquoi
alors n'es-tu pas venu me voir à Auteuil?

GEORGES

Hélas! ma cousine, mes journées étaient si occu-
pées; des cours à suivre, des examens à préparer; il
ne restait plus de temps pour mes amis.

MADEMOISELLE PRIMEROSE, *d'un ton moqueur.*

Laisse donc! Crois-tu que j'ignore tes déjeuners, tes
dîners fins, tes spectacles, tes parties de plaisir?
Voyons, finissons cette comédie; je n'ai pas dix-huit
ans comme Geneviève; ne joue pas l'attendrissement,
le repentir. Je devine ce que tu veux; tu ne l'auras
pas, c'est moi qui te le dis. — Laisse-nous finir nos
petits arrangements; nous irons te rejoindre au salon
à l'heure du dîner. »

Georges ne répondit pas et sortit fort irrité contre la
cousine Primerose, qui lui inspirait la même antipathie que dans son enfance.

« Si on pouvait l'éloigner, pensa-t-il, la faire partir!
Cette vieille folle dérangera les projets de mon père,
et je n'aurai pas Geneviève. Et cette petite sotte qui
ne me défend pas, qui ne dit pas un mot en ma
faveur! Mais elle est jolie, très jolie; elle a quatre-
vingt mille livres de rente; il faut absolument qu'elle
consente à devenir Mme Dormère. »

Georges alla raconter à son père son insuccès près
de Mlle Primerose.

« Figurez-vous, mon père, dit-il en terminant son

récit, qu'elle a eu la méchanceté de rappeler le mauvais tour que je lui ai joué en barbouillant le portrait
de son horrible nègre. Je ne savais quelle contenance
tenir. C'est désagréable cela.

M. DORMÈRE

Et Geneviève, comment t'a-t-elle reçu?

GEORGES

Très bien, très amicalement; elle ne pense à rien
elle : elle a tout oublié.

M. DORMÈRE

C'est l'important. Sois aimable pour elle : elle
t'aimera.

GEORGES

Je ne demande pas mieux, moi. Mais si jamais je
l'épouse, je mets à la porte cette vieille cousine, et je
défendrai à Geneviève de la voir.

M. DORMÈRE

Nous n'en sommes pas encore là, mon ami. Commence par plaire à la petite.

GEORGES

Je ferai mon possible; vous pouvez y compter. Elles
vont descendre; l'heure du dîner approche. »

M. Dormère et son fils passèrent au salon, où ils
attendirent ces dames.

Au premier coup de cloche, Mlle Primerose et Geneviève descendirent. Après avoir dit quelques mots à
son oncle, Geneviève s'approcha de Georges, qui se
tenait un peu à l'écart en examinant attentivement sa
cousine.

GENEVIÈVE

Tu as perdu l'habitude des accès de franchise de

notre cousine, mon pauvre Georges; tu as l'air un peu
préoccupé; ne lui garde pas rancune, je t'en prie, et
surtout ne pense pas que je partage ses ressentiments
sur ton long oubli. C'était tout naturel; nous vivions
si séparés; moi petite fille, toi jeune homme déjà et
occupé d'études sérieuses.

GEORGES

Je te remercie de me rassurer sur tes sentiments à
mon égard; mais ce n'était pas à ma cousine Primerose que je pensais. C'est à toi dont j'admirais la
grâce, l'élégance, la distinction. Je ne t'avais pas bien
vue ce matin, tant j'étais saisi; à présent que je te
vois mieux, je comprends qu'on ne se lasse pas de
te voir et de t'entendre. Jusqu'au charme de la voix,
tout y est.

GENEVIÈVE, *sérieusement.*

Georges, ne dis pas de ces folies dont je n'ai pas
l'habitude et qui me déplaisent.

GEORGES

Pourquoi te déplaisent-elles?

GENEVIÈVE

Parce que je n'aime pas l'exagération, même quand
elle est à mon profit. Ne sois pas comme un *monsieur*
avec une *demoiselle* étrangère; soyons comme des
anciens quoique jeunes amis, sans cérémonie comme
on doit l'être entre frère et sœur.

GEORGES

Puisque tu le veux, je tâcherai; mais tu ne me
défends pas de te regarder?

GENEVIÈVE

Oh! quant à cela, tant que tu voudras : cela ne me fait rien du tout.

GEORGES

Et tu me permettras d'aller chez toi, de causer avec toi, toutes les fois que je pourrai me reposer de mon travail?

GENEVIÈVE

Tant que tu voudras, mon ami, comme du temps de notre enfance. Je ne me gêne pas avec toi; si j'ai à lire, ou à écrire, ou à peindre, tu ne me dérangeras en aucune façon.

Le dîner fut annoncé. M. Dormère et Mlle Primerose rentrèrent dans le salon et on se mit à table. Geneviève fut très gaie, très animée; elle avait perdu la crainte que lui donnait jadis la présence de son oncle. M. Dormère était émerveillé de l'esprit, de l'amabilité de sa nièce, dans laquelle il cherchait vainement la petite fille craintive et la pensionnaire timide d'autrefois; il la trouvait charmante, et il était heureux de penser que cette jeune personne accomplie serait un jour sa belle-fille.

Mlle Primerose était contente du succès qu'obtenait sa jeune cousine, qu'elle avait si bien dirigée et qui lui devait une grande partie de ce qu'elle était. Georges parlait peu; il redoutait les railleries et la clairvoyance de Mlle Primerose et se contentait de ne pas quitter Geneviève des yeux et d'applaudir à toutes ses paroles.

Après dîner, on fit une longue promenade; après laquelle Mlle Primerose fit la partie de piquet avec

M. Dormère, pendant que Geneviève crayonnait dans son album, tout en causant avec Georges.

« Sais-tu dessiner? lui demanda-t-elle.

GEORGES

Non, pas beaucoup; assez pour faire des figures d'algèbre et de mathématiques et pour lever un plan.

GENEVIÈVE

Mais c'est très utile cela. Aimes-tu la musique? Joues-tu d'un instrument quelconque?

GEORGES

Non, je n'ai jamais eu le temps de me laisser aller à mon attrait pour la musique.

GENEVIÈVE

C'est dommage! La musique est une bien agréable distraction. »

La soirée se passa ainsi sans ennui; les jours suivants furent variés par quelques voisins que M. Dormère avait invités pour leur présenter sa nièce. Mme de Saint-Aimar fut la première à accourir avec Hélène et Louis; les amis d'enfance se revirent avec joie; Mme de Saint-Aimar fit mille compliments à M. Dormère et à son ancienne amie Cunégonde Primerose de la beauté, de la grâce, du charme de Geneviève.

MADAME DE SAINT-AIMAR

Et maintenant qu'elle a dix-huit ans, pensez-vous à la marier, monsieur Dormère?

M. DORMÈRE

Non, pas encore; dans un an ou deux. »

Mme de Saint-Aimar parut satisfaite de cette

réponse; elle avait depuis dix ans songé à marier Louis avec Geneviève et Hélène avec Georges.

M. Dormère sortit un instant pour donner des ordres à quelqu'un qui l'attendait; les deux amies restèrent seules.

MADAME DE SAINT-AIMAR

Cunégonde, tâche de faire rencontrer le plus souvent possible Geneviève avec Louis : je voudrais tant qu'elle devint ma belle-fille! elle est charmante, très riche; ce serait un excellent mariage pour Louis.

MADEMOISELLE PRIMEROSE

Il faut que ces choses viennent toutes seules, Cornélie; je sais que depuis leur enfance tu entretiens ce projet. Et un autre aussi pour Hélène et Georges; mais si tu pousses à la roue, tu feras manquer les deux.

MADAME DE SAINT-AIMAR

Qui t'a dit que j'y songe depuis longtemps et que j'y pousse maladroitement? C'est une pensée qui m'est venue en retrouvant Geneviève si charmante.

MADEMOISELLE PRIMEROSE

Ta, ta, ta, je te connais et je t'ai devinée depuis des années.

MADAME DE SAINT-AIMAR

Et au lieu d'y aider, tu vas contrarier mon projet?

MADEMOISELLE PRIMEROSE

Je ne contrarierai rien du tout, ma chère; Louis est un charmant jeune homme, et je serais très heureuse de lui voir épouser Geneviève. Mais d'autres ont aussi des projets, et ceux-là, par exemple, je n'y aiderai pas, au contraire.

MADAME DE SAINT-AIMAR

Qui donc? Est-ce que quelqu'un se présente?

MADEMOISELLE PRIMEROSE

Personne ne se présente encore, mais on prépare
l'affaire.

MADAME DE SAINT-AIMAR

Qui donc et avec qui? Pense donc que je suis ta plus
ancienne amie; tu peux bien me confier ce que tu en
sais.

MADEMOISELLE PRIMEROSE

Écoute; mais promets-moi le secret le plus absolu.

MADAME DE SAINT-AIMAR

Je te le jure.

MADEMOISELLE PRIMEROSE

Eh bien! apprends que M. Dormère garde Geneviève
pour Georges.

MADAME DE SAINT-AIMAR

Georges! son cousin germain! qu'elle ne pouvait
souffrir, à cause de ses méchancetés! Georges dont tu
m'as dit un mal sérieux et qui, m'a-t-on dit, fait
sottises sur sottises depuis qu'il a quitté le collège.

MADEMOISELLE PRIMEROSE

Tout cela n'empêche pas que le père, qui est resté
aveugle sur le compte de son fils, et qui sait que
Geneviève a une fortune considérable, qu'elle fera un
très bel effet dans sa maison comme sa belle-fille, ne
soit très décidé à ne la marier qu'avec Georges et qu'il
refusera son consentement pour tout autre mariage.

MADAME DE SAINT-AIMAR

Mais si Geneviève refuse Georges? si elle aime mon
fils, il faudra bien que M. Dormère consente. Et dans

tous les cas, quand elle aura vingt et un ans, elle épousera qui elle voudra.

MADEMOISELLE PRIMEROSE

Je t'ai prévenue, n'est-ce pas? Fais maintenant comme tu voudras, mais prends garde de risquer le bonheur du pauvre Louis. Ne lui en parle pas, c'est plus sage, et cela n'empêchera pas ce qui doit arriver. »

Mᵐᵉ de Saint-Aimar ne répondit pas; elle resta pensive et garda son idée, tout en retardant l'exécution.

———

XXI

ÉVÉNEMENT FATAL

Quinze jours se passèrent sans aucun changement dans aucune des situations; seulement Geneviève, ennuyée des assiduités de Georges et des compliments exagérés qu'il lui adressait, commença à l'éviter autant qu'elle le pouvait sans blesser son oncle ni Georges lui-même. Elle témoignait au contraire une grande tendresse à M. Dormère et cherchait à se rendre aussi utile que possible.

Un jour qu'il parlait de mettre de l'ordre dans sa bibliothèque et de la fatigue que lui causait ce travail, auquel Georges avait refusé de prendre part, elle proposa à son oncle de l'aider. M. Dormère accepta son offre avec plaisir. Ils commencèrent à ranger les livres d'après une nouvelle nomenclature. La bibliothèque

contenait cinq à six mille volumes. Ils occupaient à
peu près la moitié de la pièce, et ils en étaient séparés
par des arcades formées par quatre grosses colonnes;
les premières colonnes de chaque bout étaient appli-
quées contre le mur, qui formait encore un renfoncement d'un mètre au moins, de sorte qu'une personne
qui rangeait les livres dans ces compartiments s'y
trouvait complètement masquée.

Un matin, M. Dormère et Geneviève travaillaient
activement à changer de tablettes les volumes mal
placés. M. Dormère lisait les noms de ces volumes et
les présentait à Geneviève, qui les rangeait dans le
renfoncement un peu obscur, à un des bouts de la
bibliothèque, lorsqu'on frappa à la porte; M. Dormère
l'ouvrit et vit entrer le clerc de son notaire.

LE CLERC

Je vous apporte, Monsieur, les vingt-cinq mille
francs que vous avez demandés à M. Merville.

M. DORMÈRE

Ah! très bien; je les attendais pour payer la bâtisse
que j'ai fait faire l'année dernière pour mon fils.
Veuillez compter les billets que je recevrai et dont j'ai
le reçu tout préparé. Pardon si je vous reçois en
homme pressé; je le suis en effet, parce que j'ai un
travail à finir. »

Le clerc de notaire tira de son portefeuille les billets
de banque; ils étaient en deux paquets de dix et un
de cinq; il les remit à M. Dormère, qui lui en donna le
reçu sans les avoir recomptés, le salua et sortit.
M. Dormère déposa le paquet sur le bureau, et reprit
son travail avec Geneviève, qui attendait dans son

renfoncement. Ils rangèrent encore pendant une demi-heure.

Un domestique vint frapper à la porte.

M. DORMÈRE

Qu'est-ce que c'est? Entrez.

LE DOMESTIQUE

La note du menuisier; il attend dans le vestibule la réponse de Monsieur.

M. DORMÈRE

Donnez. — (M. Dormère examina la note.) — Faites-le passer dans mon cabinet. Je vais lui parler. »

Le domestique sortit.

M. DORMÈRE

Geneviève, je te laisse; il faut que je revoie cette note avec le menuisier; il me porte des prix exorbitants Si je n'ai pas fini dans une demi-heure, tu pourras t'en aller; mais tu retireras la clef de la bibliothèque, à cause de l'argent que je laisse sur la table.

GENEVIÈVE

Oui, mon oncle; soyez tranquille, je ne l'oublierai pas. »

M. Dormère sortit; Geneviève resta seule. Peu d'instants après, elle entendit un léger bruit à la porte; elle regarda par la fente qui existait entre la colonne et le mur et vit Georges qui passait la tête et qui appelait son père. N'entendant pas de réponse, il entra.

GEORGES, *se parlant à lui-même.*

Tiens, ils sont sortis. Je croyais Geneviève ici avec mon père. — Tant mieux, au reste; je commence à m'ennuyer de faire la cour à cette petite fille qui me

bat froid depuis quelques jours. Mais je ne veux pas
la lâcher; avec l'aide de mon père, il faudra bien
qu'elle m'épouse et me rende maître de ses quatre-
vingt mille livres de rente. — Avec cela j'ai des dettes
qui m'ennuient. Je dois bien six à sept mille francs;
et comment les payer? Mon père serait furieux s'il le
savait. Je vais l'attendre pour lui faire presser le
mariage. C'est pourtant ennuyeux de m'enchaîner si
jeune, mais il le faut. J'ai besoin d'argent. »

Tout en se parlant à lui-même, Georges s'approcha
du bureau et aperçut les billets de banque.

« Tiens! que de billets! Combien y en a-t-il donc? »
Il compta les billets.

« Vingt-cinq! Que je serais heureux d'avoir tout
cela! — Mais quelle imprudence de les laisser traîner
dans une pièce où tout le monde peut entrer. — Le
premier venu peut les emporter... Et on ne saurait
seulement pas qui les a pris... C'est pourtant vrai... Si
j'en prenais quelques-uns?... Mon père ne s'en aper-
cevrait pas... Il ne sait pas combien il en a... Il n'a pas
beaucoup d'ordre, ce cher papa... Si je lui donnais
une leçon! Il serait plus soigneux à l'avenir... Et puis
ne suis-je pas son fils unique? Tout ce qu'il a
m'appartient. Je ne ferai de tort à personne. »

Georges regarda encore autour de lui; ne voyant
personne, n'entendant d'autre bruit que les battements
précipités de son cœur, il prit les billets, en fit un
paquet de dix qu'il cacha dans la poche de son habit,
remit le reste en un seul paquet sur le bureau et sortit
sur la pointe des pieds, tremblant d'être rencontré.

Georges prit les billets, en fit un paquet,
qu'il cacha dans sa poche ! (P. 168.)

Il rencontra en effet dans le corridor Mlle Primerose, qui l'arrêta, il la regarda d'un air effaré.

MADEMOISELLE PRIMEROSE

Où vas-tu donc comme cela à pas précipités? Qu'as-tu donc? Tu as un air tout bouleversé! Où est Geneviève? Lui serait-il arrivé quelque chose?

GEORGES, *effaré.*

Quoi? Qui? Quoi arrivé?

MADEMOISELLE PRIMEROSE

Je n'en sais rien; mais tu as quelque chose d'extra-ordinaire! Es-tu malade?

GEORGES

Non,... oui,... je ne sais pas,... je ne me sens pas bien. Je vais dans ma chambre.

MADEMOISELLE PRIMEROSE

Viens chez moi, que je te fasse prendre quelque chose. En effet, tu es tout pâle.

GEORGES

Non, non, merci,... merci, ma cousine; ce n'est rien... J'ai trop travaillé... Je vais me reposer jusqu'au déjeuner. »

Georges la quitta en pressant le pas, rentra chez lui et s'enferma dans sa chambre.

« Dieu! que j'ai eu peur! Quel guignon d'avoir rencontré cette assommante femme! Dieu sait ce qu'elle va dire à mon père. — Pourvu qu'il ne soupçonne rien. Cette femme est si bavarde... Heureusement que j'ai le temps de me préparer. »

Pendant que Georges se préparait, en effet, à répondre à tout, la malheureuse Geneviève était plus morte que vive; elle avait tout vu, tout deviné d'après

quelques mots échappés à Georges, et plus elle
entendait et voyait, plus elle tremblait d'être enfin
aperçue; elle retenait sa respiration, elle comprimait
les battements de son cœur, le tremblement de ses
membres. Enfin, quand elle vit la porte se refermer,
qu'elle entendit les pas de Georges qui s'éloignait,
elle sortit du coin obscur où elle s'était cachée et
chercha à gagner un fauteuil; elle y parvint malgré ses
genoux tremblants qui se dérobaient sous elle et elle
tomba presque inanimée dans ce fauteuil.

« Quel monstre! se dit-elle. Voler son père! ce père
si bon pour lui, si indulgent!... — Et mon oncle, que
va-t-il penser quand il s'apercevra qu'il lui manque
dix mille francs? Pourvu qu'il ne croie pas... » Et, se
levant précipitamment à cette pensée qu'elle pourrait
être accusée du vol, elle poussa un cri d'horreur et
retomba en faiblesse. Elle se remit promptement de
son effroi. « Mon Dieu, mon Dieu, protégez-moi!
s'écria-t-elle. — Mon Dieu, vous ne permettrez pas
que mon oncle ait cette horrible pensée!... Non, non,
c'est impossible!... Impossible! » répéta-t-elle.

S'apercevant alors qu'elle se trouvait dans le fauteuil
occupé par Georges quelques instants auparavant, elle
le quitta brusquement, s'élança hors de la bibliothèque, mais elle eut encore assez de réflexion pour
fermer la porte à double tour et en retirer la clef,
qu'elle emporta dans sa poche.

Elle rentra dans sa chambre et fondit en larmes.

XXII

SCÈNE TERRIBLE

Geneviève, voyant approcher l'heure du déjeuner, se lava les yeux, but un peu d'eau fraîche, pria ardemment le bon Dieu, la sainte Vierge, son bon Ange de venir à son secours et se sentit un peu remise.

Le déjeuner fut sonné. Geneviève descendit au salon; elle y trouva réunis son oncle, sa cousine et Georges souriant et empressé. Elle eut besoin de toute sa force pour ne pas laisser paraître l'horreur qu'il lui inspirait.

Mlle Primerose ne tarda pas à s'apercevoir du trouble de Geneviève.

MADEMOISELLE PRIMEROSE

Qu'as-tu, ma petite? Tu es pâle, tu as les yeux rouges.

GENEVIÈVE

Je n'ai rien, ma cousine, qu'un peu mal à la tête;
le repos le fera passer.

M. DORMÈRE

Pourvu que ce ne soit pas la fatigue de notre travail
de bibliothèque qui t'ait fait mal! A propos, as-tu
pensé à retirer la clef en t'en allant.

GENEVIÈVE

Oui, mon oncle, la voici, ajouta-t-elle en la lui
remettant.

M. DORMÈRE

Comme ta main tremble, ma pauvre enfant! Tu es
réellement indisposée.

GENEVIÈVE

Ce ne sera rien; ne vous en inquiétez pas. »

Georges la regarda d'un air étonné. Il lui offrit un
verre de vin; elle le repoussa avec un regard qui le
troubla.

GEORGES

T'es-tu fatiguée avant le déjeuner, Geneviève?
Réponds-moi. Ta pâleur m'effraye.

GENEVIÈVE

Je vous dis que ce ne sera rien. Ce sera passé après
déjeuner.

GEORGES

Que veut dire cela? pensa Georges. Elle ne me
tutoie pas; elle m'a regardé d'un air... Se douterait-
elle de quelque chose?... Aurait-elle vu?... C'est
impossible; il n'y avait personne... J'étais seul. Et
puis, quand même elle se douterait de quelque chose,

elle est bonne, et elle ne le dirait pas... D'ailleurs mon
père ne la croirait pas. »

Georges acheva de se rassurer en se confirmant dans
la certitude que personne ne pouvait l'avoir vu,
puisqu'il était seul.

Le déjeuner parut à Geneviève d'une longueur
insupportable. Mlle Primerose l'observait avec attention et inquiétude. On sortit enfin de table et on passa
au salon. M. Dormère sortit en disant :

« Je vais à la bibliothèque pour serrer l'argent que
m'a apporté le notaire; il faut que je paye le menuisier; il m'a apporté une note de plus de trois mille
francs et il m'attend en déjeunant. »

Aussitôt que M. Dormère fut sorti, Mlle Primerose,
qui se doutait que Georges était pour quelque chose
dans le trouble de Geneviève, s'approcha de lui et lui
dit à mi-voix :

« Georges, qu'a Geneviève? Je parie que tu lui as
dit quelque sottise que tu ne devais pas lui dire.

GEORGES

Moi, ma cousine; je ne l'avais pas encore vue
aujourd'hui. Je suis, comme vous, inquiet de son état,
mais sans en connaître la cause.

MADEMOISELLE PRIMEROSE

Parle-lui; demande-lui qu'elle te le dise; peut-être
aura-t-elle plus de confiance en toi qu'en nous
autres. »

Georges s'approcha de Geneviève, assise ou plutôt
tombée dans un fauteuil. Il voulut lui prendre la
main ; elle la retira vivement.

GENEVIÈVE

Ne me touchez pas; je vous le défends.

GEORGES

Ah! Geneviève, quel chagrin tu me causes par ces
dures paroles. A moi, ton cousin, ton ami, peut-être
mieux encore.

GENEVIÈVE

Je vous ai défendu de me toucher, Monsieur; je
vous défends encore de me tutoyer. Vous n'êtes et
ne serez jamais pour moi que ce que je ne puis
empêcher, un cousin.

GEORGES

Mais, Geneviève, au nom du ciel, dis-moi ce que tu
as contre moi pour me traiter ainsi. »

Avant que Geneviève eût pu répondre, M. Dormère
rentra fort troublé.

M. DORMÈRE

Geneviève, te souviens-tu du montant de la somme
que m'a apportée le clerc de notaire?

GENEVIÈVE

Oui, mon oncle; c'était vingt-cinq mille francs.

M. DORMÈRE

Figure-toi que je n'en trouve plus que quinze
mille. »

Geneviève ne répondit pas.

M. DORMÈRE

Geneviève..., quelqu'un est-il entré pendant que tu
étais seule dans la bibliothèque? »

Geneviève ne répondit pas.

M. DORMÈRE

Geneviève, que veut dire ce silence? Je t'adjure de

me dire si quelqu'un est entré dans la bibliothèque après que j'en suis sorti.

GENEVIÈVE, *d'une voix éteinte.*

Oui, mon oncle.

M. DORMÈRE

Qui était-ce?

GENEVIÈVE, *de même.*

Je ne puis vous le dire, mon oncle.

M. DORMÈRE, *irrité.*

Comment, tu ne peux pas me le dire? Tu dois me le dire; je veux que tu me le dises.

GENEVIÈVE

Je ne dois pas et je ne veux pas vous le dire, mon oncle.

M. DORMÈRE, *de même.*

Tu veux donc te faire complice de ce vol en refusant de me nommer le voleur?

GENEVIÈVE

Moi complice d'un vol! Moi! Oh! mon oncle!

M. DORMÈRE

Ecoute. Encore une question à laquelle tu dois répondre sous peine de me faire porter plainte contre ce clerc qui a déposé les billets sans que je les aie recomptés après lui.

GENEVIÈVE

Pauvre homme! il est bien innocent. Il est parti après avoir compté et déposé les vingt-cinq billets sur votre table.

M. DORMÈRE

Crois-tu que les dix billets qui me manquent aient été pris par la personne que tu as vue entrer?

GENEVIÈVE, *après quelque hésitation*.

Oui, mon oncle.

M. DORMÈRE

L'as-tu vue les prendre, les emporter?

GENEVIÈVE

Oui, mon oncle, après les avoir comptés.

M. DORMÈRE

Et tu ne veux pas me la nommer? Tu veux me laisser soupçonner tous les gens de ma maison, plutôt que de dévoiler un misérable, un voleur, qui me volera encore probablement. »

Geneviève ne répondit pas.

Pendant cet interrogatoire, Georges était plus mort que vif. Il comprenait enfin que Geneviève avait tout vu et entendu, et qu'un mot d'elle pouvait le perdre à jamais près de son père; il tremblait qu'elle ne prononçât ce mot; sa fermeté le rassura un peu, mais ne finirait-elle pas par céder devant une insistance à laquelle pouvaient se joindre de la colère et des menaces!

Un silence, effrayant pour le coupable, dura quelques minutes; après quoi M. Dormère, se tournant vers Mlle Primerose et Georges, leur dit d'une voix très agitée :

« Ma cousine, Georges, faites-lui comprendre qu'en voulant faire de la générosité, elle fait un mal réel; comment puis-je vivre tranquille sachant que j'ai dans ma maison un voleur, un assassin peut-être, car il n'y a pas loin d'un vol aussi impudent à un meurtre? Et comment puis-je faire à des gens honnêtes, à d'anciens serviteurs comme Rame, Julien, Pierre et les autres, l'injure et l'injustice de les soupçonner, de les chasser, pour une action si vile, si abominable? — Je ne puis pourtant pas rester dans cette incertitude; parlez-lui, faites-lui comprendre la faute qu'elle commet. »

Mlle Primerose s'approcha de Geneviève, la pria, la supplia de parler, de nommer le voleur. Genviève résista à toutes les supplications; elle pleura, elle sanglota en embrassant sa cousine qui pleurait avec elle, mais elle persista dans son refus.

M. Dormère, outré de cette inexplicable persistance, dit avec colère :

« Eh bien! Mademoiselle, puisque vous vous obstinez à« taire un nom qu'il vous serait si facile de prononcer, je vais prendre un moyen qui me répugne, mais auquel vous me forcez d'avoir recours : je vais de ce pas déposer ma plainte et mettre l'affaire entre les mains du procureur impérial. »

Et il s'avança vers la porte. Geneviève poussa un cri, s'élança vers lui, se jeta à ses genoux en lui barrant le passage et s'écria :

« Au nom de Dieu, au nom de tout ce qui vous est cher, n'exécutez pas votre menace. Mon oncle, écoutez-moi, voyez-moi, la fille du frère que vous aimiez, prosternée à vos pieds, vous suppliant de ne pas salir l'honneur de votre maison.

M. DORMÈRE

Ma maison? En quoi ma maison serait-elle entachée par une plainte en justice? Ma maison! »

Il réfléchit un instant; un sentiment de colère se peignit sur son visage; repoussant Geneviève avec

une violence qui la fit tomber la face contre terre, il
s'écria :

« Malheureuse! c'est ton Rame! Je le chasse! je
le livre aux tribunaux!

GENEVIÈVE

Rame! Rame! Mon Dieu, ayez pitié... »

Geneviève n'acheva pas et perdit connaissance.

« Vous êtes cruel, Monsieur! s'écria à son tour
Mlle Primerose, en relevant Geneviève et en la posant
sur un canapé.

M. DORMÈRE

Cruel! cruel envers une malheureuse qui se rend
complice d'un vol pour sauver un misérable!

MADEMOISELLE PRIMEROSE

Ne flétrissez pas de ces accusations un ange de
vertu, de courage, de dévouement.

M. DORMÈRE

Et qui donc puis-je accuser, si ce n'est Rame?
D'après ses propres aveux, une seule personne est
entrée dans cette malheureuse bibliothèque, et elle
refuse de me dire le nom de cette personne qui, dit-
elle, a volé les dix mille francs qui me manquent.

MADEMOISELLE PRIMEROSE

Cela veut-il dire que ce soit Rame qui les ait pris
ou plutôt *volés*, car le mot est juste?

M. DORMÈRE

Cela veut dire que si elle avait nié avoir vu entrer
quelqu'un, il devenait trop clair que c'était un ami
ou elle-même qui était la voleuse. Et, une fois cet
aveu échappé à sa frayeur, elle n'a pu nommer per-

sonne, parce qu'il eût été trop facile de la confondre
en la confrontant avec l'individu désigné par elle.

MADEMOISELLE PRIMEROSE, *avec mépris.*

Toujours injuste, toujours aveugle; vous l'avez été,
vous l'êtes et vous le serez. — Veuillez m'envoyer
Rame pour m'aider à la monter dans ma chambre,
et si vous touchez à Rame, si vous dites un mot de
votre injuste soupçon, vous tuez votre nièce; voyez
si vous avez le courage de supporter ce remords de
toute votre vie : c'est la dernière parole que je vous
adresse.

M. DORMÈRE

Georges, aide Mlle Primerose à transporter cette
fille chez elle. »

Georges voulut s'approcher. Mlle Primerose l'empê-
cha d'avancer.

MADEMOISELLE PRIMEROSE

Ne la touchez pas, Monsieur; elle vous l'a défendu.
Sortez et appelez Rame. »

Georges s'empressa de quitter l'appartement;
M. Dormère le suivit.

XXIII

MALADIE DE GENEVIÈVE

Mlle Primerose, s'occupa activement à faire revenir la pauvre Geneviève de son évanouissement; un gémissement plaintif annonça enfin son retour à la vie; peu après, elle ouvrit les yeux, regarda autour d'elle; la connaissance lui revint.

La nuit fut d'une agitation affreuse; vers le matin, Pélagie appela Rame, et lui demanda d'aller chercher le médecin.

Rame jeta un regard douloureux sur sa jeune maîtresse et sortit avec empressement. Une heure s'était à peine écoulée qu'il rentrait avec le médecin.

M. BOURDON

Mlle Geneviève est malade? Qu'a-t-elle donc?

Mlle Primerose raconta alors à M. Bourdon tout ce qui s'était passé, depuis l'agitation du déjeuner jusqu'à la terrible accusation et la menace qu'avait formulée M. Dormère, dont elle flétrit avec animation l'odieuse conduite; sans accuser directement Georges, elle parla de lui comme d'un misérable, digne de tout mépris; elle ajouta que M. Dormère voulait lui faire épouser sa nièce, mais que Geneviève n'y consentirait jamais, vu qu'elle le détestait et le méprisait profondément.

M. Bourdon tira du récit de Mlle Primerose une conclusion peu favorable à Georges et à M. Dormère. Peut-être soupçonna-t-il ce que Mlle Primerose avait deviné, mais il n'en laissa rien paraître; il remercia Mlle Primerose de sa confiance et lui promit la plus grande discrétion.

MADEMOISELLE PRIMEROSE

Je ne vous demande pas du tout la discrétion que vous me promettez; parlez, racontez, commentez, ce sera pour le mieux.

M. BOURDON

Mais, Madame, peut-être que cette histoire ébruitée ferait quelque tort à Mlle Geneviève.

MADEMOISELLE PRIMEROSE

Tort! à Geneviève! Elle est assez connue pour ne pas craindre qu'on l'accuse d'une chose aussi ridicule que favoriser le vol d'un bon et fidèle serviteur comme Rame; personne ne croira qu'un ange comme elle, qui a quatre-vingt mille livres de rente, qui est charmante, qui a plus d'argent qu'elle n'en a besoin, qui a été élevée par moi, fasse la sottise de laisser voler son oncle, et si bêtement encore. Il faut être imbécile comme M. Dormère pour faire une supposition

Pélagie appela Rame et lui demanda d'aller chercher
le médecin. (P. 181.)

pareille. Vous comprenez maintenant, docteur, la terrible impression qu'elle a dû ressentir : voyez ce que vous avez à faire.

M. BOURDON

Je vais lui prescrire une potion calmante, et si ce moyen innocent ne suffit pas, je la saignerai avant dîner et vous lui mettrez des sinapismes aux pieds. »

M. Bourdon écrivit une ordonnance, recommanda qu'on donnât de l'air, qu'on entretînt de l'humidité à la tête au moyen d'eau fraîche, et qu'on lui donnât de l'eau froide pour toute boisson.

Rame ramena le médecin chez lui et alla prendre chez le pharmacien la potion prescrite.

———

XXIV

HORRIBLE FAUSSETÉ DE GEORGES

En quittant Geneviève, M. Bourdon trouva M. Dormère qui l'attendait à la porte pour savoir au juste l'état de sa nièce.

M. BOURDON

Il me paraît inquiétant, Monsieur. Il semblerait que la pauvre enfant a entendu accuser injustement d'une faute grave quelqu'un qu'elle affectionne particulièrement et auquel elle doit beaucoup, ce qui l'a tellement indignée et épouvantée qu'elle a eu un très long évanouissement, indice d'une commotion cérébrale, et d'autant plus grave qu'elle était imprévue.

M. DORMÈRE

Comment, imprévue?

M. BOURDON

Je veux dire, Monsieur, que l'accusation qui est

la cause du mal était imprévue. Quand on a vraiment connaissance d'une faute, on prévoit l'accusation, on s'y attend. Le saisissement n'est pas le même que lorsqu'on entend une personne qui vous est chère faussement accusée d'une faute dont une belle, bonne, franche nature est incapable.

M. DORMÈRE

La croyez-vous en danger?

M. BOURDON

Oui, Monsieur. Si la saignée que je vais pratiquer dans quelques heures ne dégage pas la tête, nous courons le danger d'une maladie cérébrale.

M. DORMÈRE

Mais elle a sa connaissance? elle parle?

M. BOURDON

Non, Monsieur; elle parle, mais sans savoir ce qu'elle dit.

M. Dormère resta pensif et immobile : un doute commençait à se faire dans son esprit.

« Aurais-je réellement accusé à faux ce malheureux? Ce serait horrible pour elle! Pauvre petite! elle n'a été heureuse que pendant les années qu'elle a passées loin de moi, quand je l'ai chassée sans m'inquiéter de son avenir... Mais pourquoi a-t-elle dit : *L'honneur de votre maison?* C'est elle-même qui m'aurait dévoilé ce Rame... Elle seule... et Georges! ajouta-t-il avec une angoisse qui fit trembler tous ses membres. — Mais non; je suis fou!... Georges était là! Il n'a rien dit... C'est impossible! Georges! qui est mon fils, qui dispose de tout ce que j'ai. C'est une

idée absurde Georges, que c'est bête d'avoir de
pareilles pensées! Georges! Ha, ha, ha! — Il faut que
je l'appelle, que je le consulte; je veux qu'il sache ce
qu'a dit le médecin... Je suis fâché d'avoir parlé à ce
médecin... Un reste de pitié absurde pour avoir des
nouvelles qui m'importaient peu. »

M. Dormère, malgré ses raisonnements, avait conservé du doute et de l'agitation; il entra chez Georges,
qu'il trouva encore dans son lit. « Comment, paresseux, dit-il en riant, pas levé à neuf heures?

GEORGES

C'est que j'ai mal dormi, mon père; je suis fatigué.

M. DORMÈRE

Et moi aussi j'ai mal dormi. La scène d'hier m'a
tellement bouleversé! Sais-tu qu'il me vient des doutes
sur la culpabilité de Rame. — Et toi? »

M. Dormère regarda fixement Georges, qui pâlit et
rassembla son courage pour répondre.

GEORGES

Et moi aussi, mon père; et ce ne sont pas des doutes
que j'ai : c'est une conviction profonde de l'innocence
de Rame.

M. DORMÈRE, *inquiet.*

Qu'est-ce qui te donne cette conviction?

GEORGES

D'abord le caractère de cet homme, sa conduite
toujours franche et honnête; et puis, mon père, vous
le dirai-je? oserai-je vous l'avouer? Ne voyez-vous
pas qu'en vous taisant le nom du voleur, elle veut
sauver quelqu'un qu'elle aime? Qui vous dit que ce

quelqu'un n'est pas Pélagie, à laquelle elle croit devoir une grande reconnaissance?

— Pélagie! s'écria M. Dormère. Tu l'as trouvé! Voilà le mystère! Oh! Georges, mon ami, de quel poids tu me délivres! Pélagie,... c'est cela; tout est expliqué. Pauvre généreuse enfant, comme je l'ai fait souffrir!

GEORGES

Vous voyez, mon père, combien votre accusation était injuste et cruelle.

M. DORMÈRE

Oui, Georges, je le vois, et pour première réparation je vais faire chasser Pélagie, ce qui terminera toute l'affaire. »

Georges ne s'attendait pas à ce nouveau coup. C'était un moyen sûr de faire parler Geneviève. Il fallait à tout prix empêcher son père de suivre cette fatale idée.

GEORGES

Chasser Pélagie! sur une supposition! Vous voulez donc achever de la tuer? C'est indigne, c'est barbare! Pourquoi alors ne pas faire arrêter ma cousine Primerose et Rame? Ils peuvent avoir aussi bien volé vos dix mille francs que Pélagie. Je vous répète que c'est la tuer à coup sûr que d'arrêter Pélagie, qu'elle aime plus que tout au monde.

M. DORMÈRE

Mais, mon ami, toi-même n'as-tu pas dit que Pélagie était la voleuse? Comment veux-tu que je garde chez moi une coquine pareille?

GEORGES

Mon père, je n'ai plus qu'un mot à vous dire. Si vous faites la moindre tentative contre Pélagie ou Rame, je quitte votre maison pour n'y plus revenir, et je vais immédiatement déclarer à votre procureur impérial que c'est moi qui vous ai volé. Maintenant que vous voilà prévenu, faites comme vous voudrez. Je vais m'habiller pour être prêt à vous suivre chez le procureur impérial. »

M. Dormère était atterré. Il n'avait qu'un parti à prendre : celui de garder le silence et laisser passer le vol sans autre réclamation.

« Je ferai ce que tu voudras, Georges, dit-il; tu es cruel dans tes menaces.

GEORGES

Moins cruel, mon père, que vous ne l'avez été pour celle que j'aime et qui sera ma femme; je vous le répète; c'est le seul moyen de la tranquilliser, ainsi ne résistez pas, car, si vous me refusez, vous me ferez mourir. »

M. Dormère quitta la chambre de Georges et se retira chez lui dans une agitation, un chagrin difficiles à décrire.

A quelques jours de là, Mlle Primerose était dans sa chambre, occupée à dessiner, quand elle vit la porte s'ouvrir et M. Dormère entrer chez elle. Elle arrêta un cri prêt à s'échapper.

« Sortez, sortez, Monsieur, dit-elle d'une voix étouffée. Si elle vous entendait, elle retomberait dans son premier état. Sortez, vous dis-je! » Et elle le poussa vers la porte.

M. DORMÈRE

Mais je veux savoir...

MADEMOISELLE PRIMEROSE

Vous ne saurez rien; allez-vous-en.

M. DORMÈRE

Je suis d'une inquiétude affreuse.

MADEMOISELLE PRIMEROSE

Tant mieux! Sortez.

M. DORMÈRE

Je ne peux pas vivre ainsi pourtant...

MADEMOISELLE PRIMEROSE

Eh bien! mourez, mais allez-vous-en.

M. DORMÈRE

C'est vraiment incroyable...

MADEMOISELLE PRIMEROSE

C'est vraiment trop odieux de venir l'achever par une rechute.

M. DORMÈRE

Je vous en prie, chère cousine, écoutez-moi.

MADEMOISELLE PRIMEROSE

Je ne veux pas vous écouter et je ne suis pas votre chère cousine. Je vous déteste, vous me faites horreur!

M. DORMÈRE

Je vous enverrai Georges; peut-être le recevrez-vous.

MADEMOISELLE PRIMEROSE

Votre coquin de Georges! Je le recevrai à coups de balai s'il s'avise de se montrer. »

Elle poussa M. Dormère en dehors de la porte et la ferma à double tour. Il fut obligé de descendre; il raconta à Georges le peu de succès de sa démarche.

GEORGES

Il faut attendre, mon père, que vous puissiez la voir elle-même. Cette vieille cousine est un vrai dragon; il n'y a rien à espérer d'elle. Dans quelques jours vous entrerez sans la permission de Mlle Primerose, en passant par la chambre de Pélagie. »

Quatre jours après, sachant Geneviève assez bien remise pour pouvoir aller et venir dans son appartement, Georges résolut d'accomplir un projet hardi, celui d'écrire à Geneviève pour demander sa main comme moyen de la réhabiliter entièrement dans l'esprit de M. Dormère. Voici ce qu'il lui écrivit.

XXV

LETTRE DE GEORGES
DÉPART DE GENEVIÈVE

« Geneviève, votre maladie m'a navré; j'ai plus
souffert que je ne puis le décrire. C'est moi qui suis
votre bourreau; le chagrin, le remords me rongent le
cœur. Pour achever mon malheur, je vous aime
comme je ne vous ai jamais aimée; vous êtes devenue
l'objet de toutes mes pensées.

« Plus vous avez déployé de courage, de générosité
en ne me dénonçant pas à mon père, plus j'ai maudit
l'indigne faiblesse qui m'avait fermé la bouche pendant cette scène terrible dans laquelle vous avez si
héroïquement refusé de me nommer comme le vrai
coupable.

« Ces jours de souffrance m'ont cruellement puni
de ma faiblesse, et ont développé une tendresse dont

je ne me croyais pas susceptible et dont la vivacité m'effraye.

« Une légère espérance me soutient. Je suis parvenu à enlever à mon père l'horrible et injuste soupçon qu'il vous a exprimé avec tant de barbarie; pour achever de lui ouvrir les yeux sur l'innocence de votre fidèle Rame, je lui ai avoué mon amour et mon ardent désir d'unir ma vie à la vôtre en conservant Rame comme le plus fidèle et le plus dévoué de vos amis. Cette déclaration a achevé de dissiper ses derniers doutes. En effet, comment supposer que je veuille lui donner une fille entachée dans son honneur par sa complicité d'un vol odieux. C'est donc une réhabilitation complète que je vous offre en vous suppliant d'accepter ma main et mon cœur. Croyez que ma vie entière sera consacrée à expier cette grande faute de ma jeunesse.

« Oserai-je espérer que vous ne repousserez pas mon humble demande, et que, dans la noble générosité dont vous avez usé à mon égard, votre cœur était intéressé à me sauver du déshonneur.

« J'attend votre réponse avec une anxiété dont vous ne pouvez avoir aucune idée; puisse-t-elle me conduire à vos pieds, pour entendre de votre bouche le pardon tant désiré.

« Votre fidèle et dévoué,

« GEORGES. »

Ce fut Rame que Georges chargea de remettre cette lettre à sa maîtresse.

Geneviève resta quelques instants sans la décacheter.

« Comment ose-t-il m'écrire, et que peut-il avoir à me dire? »

Elle l'ouvrit pourtant; un sourire de mépris, puis d'indignation, accompagna la première partie de la lettre; mais quand elle arriva à la dernière page, elle fut saisie d'une véritable colère.

Prenant une plume. d'une main tremblante, elle écrivit les lignes suivantes :

« Monsieur,

« Je vous méprise trop pour répondre sérieusement à la honteuse proposition que vous osez m'adresser. Je ne vous dis pas les motifs de ce refus, dicté par mon indignation et par ma juste antipathie; vous ne les comprendriez pas, ayant abjuré tout sentiment d'honneur et de moralité. En quittant Plaisance, je n'emporterai aucun sentiment de haine. Je ne ressens pour vous que le plus profond mépris et le plus grand éloignement. Veuillez à l'avenir ne plus m'importuner de vos lettres et, sous aucun prétexte, de votre présence.

« GENEVIÈVE DORMÈRE. »

Geneviève appela Rame, qui était sorti, par extraordinaire; elle alla jusque chez sa bonne et la pria de faire remettre cette lettre à M. Georges.

———

XXVI

COLÈRE DE MM. DORMÈRE PÈRE ET FILS

Quand Geneviève rentra chez elle, elle voulut brûler
la lettre de Georges, de peur qu'elle ne tombât entre
les mains de son oncle ou de quelque personne mal-
veillante. Elle la chercha, mais elle ne la trouva pas.
Après avoir cherché partout, elle eut la pensée que
Mlle Primerose l'avait peut--être aperçue et emportée;
elle entra chez sa cousine, qui n'y était pas. Pélagie lui
dit qu'elle était sortie depuis longtemps pour aller
donner des nouvelles de Geneviève aux Saint-Aimar.

Ce n'était donc pas Mlle Primerose qui avait commis
l'indiscrétion.

Geneviève eut alors la pensée que Georges lui-même
avait eu l'audace de venir chez elle et qu'ayant vu sa
lettre laissée ouverte sur la table, il l'avait prudemment
emportée pour la brûler.

Geneviève n'y pensa donc plus et ne s'en inquiéta pas. Elle demanda à Pélagie et à Rame de ne pas parler à Mlle Primerose de la lettre de Georges ni de la réponse qu'elle y avait faite. Elle prévint aussi ses fidèles amis qu'elle demanderait à Mlle Primerose de retourner à Paris le plus tôt possible, sous prétexte de changer d'air pour achever de se remettre.

« Et surtout, mes bons amis, préparez tout sans qu'on le sache dans le château, pour éviter une entrevue avec mon oncle; je n'aurais pas encore la force de la supporter. »

Pélagie et Rame lui promirent que personne n'en saurait rien.

Quand Mlle Primerose rentra, elle était si fatiguée qu'elle se jeta dans un fauteuil et demanda un verre de vin et des biscuits pour se remonter.

GENEVIÈVE

Ma bonne cousine, pendant votre absence je me suis demandé ce que nous faisions ici; nous y sommes prisonnières, n'osant sortir, de crainte de nous rencontrer avec mon oncle et son fils. Si nous pouvions retourner chez nous à Paris, je me sentirais soulagée d'un poids qui m'oppresse; je respirais plus librement.

MADEMOISELLE PRIMEROSE

Que je suis contente de ce que tu me dis, ma chère enfant! J'attendais, pour te parler de départ, que tu fusses en état de supporter un déplacement; puisque tu partages mon désir de quitter cet horrible château, pour n'y jamais revenir, nous partirons quand tu voudras.

GENEVIÈVE

Demain, ma cousine, demain; d'autant plus que je sais par Rame que demain mon oncle et son fils vont dîner chez les Saint-Aimar.

MADEMOISELLE PRIMEROSE

Très bien, mon enfant, très bien. Commençons nos préparatifs.

Tout fut fait comme l'avait dit M{ile} Primerose.

Le lendemain, M. Dormère et Georges montèrent en voiture à cinq heures; à six heures bien précises l'omnibus arriva; toutes les malles furent descendues; elles avaient été achevées par Pélagie dans l'après-midi; Rame et le cocher les chargèrent sur l'omnibus; M{ile} Primerose descendit soutenant Geneviève, qui était encore d'une grande faiblesse.

A neuf heures elles étaient arrivées chez elles à Paris et Geneviève était à dix heures installée dans sa chambre et couchée.

Le soir de ce même jour, quand M. Dormère rentra avec Georges, son valet de chambre s'empressa de lui dire :

« Monsieur ne sait pas ce qui s'est passé en son absence?

M. DORMÈRE

Non, quoi donc?

JULIEN

Ces dames sont parties une heure après Monsieur et voici une lettre à l'adresse de Monsieur, que je viens de trouver sur la table de M{ile} Primerose. »

M. Dormère lut ce qui suit :

« Monsieur,

« Geneviève me demande de l'emmener; elle redoute beaucoup une entrevue qui ne peut plus être évitée. Dans son état de faiblesse, votre présence pourrait lui occasionner une rechute qui serait mortelle. Je l'emmène donc avec bonheur, heureuse de quitter votre toit inhospitalier. Je vous salue.

« CUNÉGONDE PRIMEROSE. »

Une seconde petite lettre était de Geneviève.

« Mon oncle,

« Pardonnez-moi de vous quitter sans vous avoir vu. Je sens que je n'aurais pas la force de supporter votre présence. La scène terrible qui m'a mise si près de la mort est encore trop récente pour que l'impression en soit effacée. Permettez-moi de vous dire, mon oncle, qu'en vous quittant je n'emporte aucun ressentiment et que je vous pardonne du fond du cœur tout ce qui s'est passé.

« Votre nièce respectueuse,

« GENEVIÈVE. »

M. Dormère donna à Georges les deux lettres et se retira dans sa chambre sans prononcer une parole.

XXVII

RETOUR DE JACQUES

Quelques jours après son retour à Paris, Geneviève se trouva plus calme qu'elle ne l'avait été depuis sa maladie. Un matin, elle s'était mise à ranger avec sa tante les livres, papiers, musique, tout ce qui était nécessaire pour reprendre leurs occupations accoutumées. Un peu avant le déjeuner, Geneviève était seule; elle entendit frapper à la porte.

« Entrez », dit-elle.

La porte s'ouvrit et elle vit entrer un charmant jeune homme avec de jolies moustaches et une barbiche au menton; elle le reconnut sur-le-champ et s'élança vers lui en criant :

« Jacques, Jacques, c'est toi! »

Oubliant dans sa joie son âge et celui de Jacques, elle se jeta à son cou en l'embrassant tendrement.

GENEVIÈVE

Jacques, cher Jacques, que je suis heureuse de te
revoir!

JACQUES

Et moi donc, ma bonne, ma chère Geneviève! voici
près d'un an que je ne t'ai vue. J'ai fait, comme tu
sais, un long et intéressant voyage en Orient, et m'en
voici revenu depuis deux mois, que j'ai passés chez
mes parents à la campagne; tu étais absente. Mais
comme tu es maigre et pâle, ma pauvre Geneviève;
es-tu malade?

GENEVIÈVE

Je l'ai été, Jacques; j'ai manqué mourir.

JACQUES

Mourir! oh! mon Dieu! et moi qui n'en ai rien su.
Que t'est-il donc arrivé? »

Geneviève voulut répondre, mais les larmes lui
coupèrent la parole; elle dit en sanglotant :

« J'ai été bien malheureuse, Jacques;... si tu
savais... »

Elle ne put continuer; les sanglots l'étouffaient.
Jacques étaient désolé et cherchait à la consoler en lui
prodiguant les plus affectueux témoignages de son
amitié.

JACQUES

Ma Geneviève! mon amie! si tu savais combien je
suis désolé de te voir ainsi! C'est donc bien affreux,
pour que le souvenir seul te mette dans un pareil état?

GENEVIÈVE

Affeux, horrible; appelle ma cousine Primerose, elle

te dira ce que je n'ai pas encore la force de te
raconter. »

Jacques, très ému du chagrin de Geneviève, courut
frapper à la porte de Mlle Primerose, qui répondit :
« Entrez »; et qui, reconnaissant Jacques, se jeta à
son cou, comme Geneviève, et l'embrassa à plusieurs
reprises. Sans lui donner le temps de parler, Jacques
la supplia d'entrer au salon pour calmer Geneviève
qui ne cessait de pleurer.

MADEMOISELLE PRIMEROSE

Pauvre petite! c'est qu'elle est encore bien faible
et mal remise de la terrible secousse que lui ont
donnée son abominable oncle et ce scélérat de
Georges.

JACQUES

Encore ce Georges! Toujours Georges dans les
chagrins de ma pauvre Geneviève.

MADEMOISELLE PRIMEROSE

Mais c'est bien la dernière fois, par exemple, car
nous ne remettrons jamais les pieds chez ces gens-là,
et jamais nous ne reverrons ce monstre de Georges.

JACQUES

Mais qu'a-t-il fait? De grâce, chère mademoiselle,
ne me laissez pas en suspens; et comment mon oncle,
qui est bon homme, a-t-il pu contribuer au chagrin de
Geneviève?

MADEMOISELLE PRIMEROSE

Bon homme! Un sot, un imbécile, un animal, dont
Georges ferait un meurtrier au besoin. »

Jacques ne put s'empêcher de sourire à cette
explosion de colère de Mlle Primerose.

Ecoute, Jacques, je ne veux pas te raconter cette scène horrible devant elle; je lui ferai un mal affreux en lui rappelant une abomination dont elle a failli mourir; tu vas déjeuner avec nous; après déjeuner, Geneviève se reposera, tu viendras dans ma chambre et tu sauras tout. »

Quand le déjeuner fut terminé, Mˡˡᵉ Primerose arrangea Geneviève sur un canapé, lui dit de se reposer et emmena Jacques; avant qu'il partît, Geneviève l'appela.

« Jacques, lui dit-elle affectueusement, tu reviendras me voir avant de t'en aller?

JACQUES

Certainement, ma bonne chère Geneviève, je ne partirai pas sans t'avoir revue. »

Et il sortit pour aller rejoindre Mˡˡᵉ Primerose, qui attendait le moment de lui parler avec autant d'impatience que Jacques en éprouvait de l'entendre parler.

La conversation dura plus d'une heure; Jacques, très ému, ne se lassait pas d'écouter et d'interroger. Quand elle fut arrivée au jour qui précéda leur départ de Plaisance, elle se leva, ouvrit une cassette dont elle portait toujours la clef sur elle, en tira une lettre et dit :

« Lis maintenant cette lettre; elle achèvera de te faire connaître la scélératesse de ce monstre. Geneviève ne sait pas que je l'ai lue, que je l'ai gardée; ne lui en parle pas. »

Jacques, déjà bouleversé du récit que lui avait fait Mˡˡᵉ Primerose, lut cette lettre de Georges avec une

indignation, une colère qu'il eut peine à maîtriser.
Quand il l'eut finie, il la jeta par terre, la repoussa du
pied et, se jetant dans un fauteuil, la tête pressée dans
ses deux mains comme s'il eût craint qu'elle n'éclatât,
il dit d'une voix étouffée :

« Monstre! odieux scélérat! Ah! je n'ai pas de mots
pour exprimer mon indignation, mon horreur! »

Il resta longtemps immobile, étouffant sous le poids
de son émotion.

Jacques fit ses adieux à Mlle Primerose et sortit. Il
entra dans le salon; il vit Geneviève endormie sur le
canapé. Il s'avança doucement près d'elle, longtemps
il la regarda avec respect et admiration; puis il
s'approcha, prit une des mains restée étendue et la
baisa tendrement.

« Généreuse, admirable et bien chère amie, dit-il
à voix basse, je t'ai toujours aimée et je t'aimerai toujours. Tu trouveras en moi, jusqu'au dernier jour de
ma vie, un ami fidèle et dévoué. »

Il replaça doucement la main de Geneviève sur le
canapé et voulut sortir; Geneviève s'éveilla.

GENEVIÈVE

C'est toi, Jacques? comme tu es pâle! C'est ma
cousine, n'est-ce pas, qui t'a ainsi troublé? Pauvre
Jacques! C'est terrible, n'est-ce pas? Assieds-toi près
de moi et causons.

JACQUES

O Geneviève! ma Geneviève chérie! Comme tu as
souffert! Et quelle héroïque, admirable générosité tu
as montrée! — Quel courage! — Et ce scélérat, ce
monstre qui se tait, qui entend son père te torturer par

ses questions, osant accuser ton ami, ton plus dévoué
serviteur, et il ne dit rien. Il vole, et il te laisse la
lourde charge de le défendre par ton généreux silence!

— Jacques, Jacques! s'écria Geneviève effrayée,
pourquoi penses-tu que ce soit lui? Qui te l'a dit?

JACQUES

Mais, mon amie, tout le monde l'aurait deviné; il
faut être absurdement et sottement aveugle comme
son père pour ne pas deviner que c'était lui.

GENEVIÈVE

Jacques, ne le dis pas à mon oncle, promets-le-moi.

JACQUES

Il suffit que tu le désires, ma Geneviève, pour que
j'aie la bouche close là-dessus. Mais c'est cruel : cruel
pour toi, cruel pour ceux qui t'aiment. »

Jacques se leva.

« Il faut que je m'en aille; j'ai tant à faire pour moi,
pour mon père.

GENEVIÈVE

Avec qui es-tu ici? où loges-tu?

JACQUES

Je suis seul; à l'hôtel.

GENEVIÈVE

Alors viens dîner avec nous.

JACQUES

Très volontiers, si je ne te fatigue pas.

GENEVIÈVE

Me fatiguer! quelle folie! au contraire, je me sens
si bien quand tu es là! »

Jacques sourit, lui serra la main et sortit.

XXVIII

BONHEUR DE GENEVIÈVE

Geneviève passa un heureux après-midi; le retour inattendu de son ami d'enfance, avait effacé en partie le souvenir de son triste séjour chez son oncle. Quand elle regarda la pendule; il était six heures.

« Il ne vient pas : c'est singulier; il sait que nous dînons à six heures et demie. »

Enfin la porte s'ouvrit et Jacques entra.

GENEVIÈVE

Te voilà enfin, mon ami; je t'attends depuis longtemps.

JACQUES

Depuis longtemps? Il est à peine six heures.

GENEVIÈVE

Six heures passées, Monsieur; et tu sais que nous dînons à six heures et demie.

JACQUES

Eh bien! je ne suis donc pas en retard.

GENEVIÈVE

Je te trouve toujours en retard, Jacques, quand je t'attends. »

Jacques sourit.

JACQUES

J'ai beaucoup à faire, ma bonne petite Geneviève; je ne t'ai pas encore dit que je suis obligé de te quitter dans quinze jours ou un mois, pour longtemps et peut-être pour toujours. »

Geneviève devint pâle, tremblante.

GENEVIÈVE

Partir! Pour toujours! Oh! Jacques, je suis vouée au malheur! »

Elle tomba en sanglotant dans un fauteuil. Jacques, très ému lui-même, chercha à la consoler de son mieux.

Il s'assit près d'elle; Geneviève, encore affaiblie par sa maladie, n'avait pas la force nécessaire pour commander à ses impressions; elle continua à pleurer amèrement.

GENEVIÈVE

Partir! Pour toujours! M'abandonner! Jacques, tu es cruel.

JACQUES

Ma Geneviève chérie, cette séparation ne m'est pas moins cruelle qu'elle l'est à toi; mais le devoir doit passer avant le bonheur : Rome est plus menacée que jamais!

« Le Saint-Père Pie IX appelle les chrétiens catho-
liques pour défendre le siège de la foi; je me suis
engagé dans les zouaves pontificaux, et je dois partir
dans quinze jours ou un mois. »

Geneviève s'était calmée à mesure que Jacques
parlait. Quand il eut fini, elle poussa un cri de joie, et,
prenant à deux mains la tête de Jacques qu'elle serra
contre sa poitrine :

« C'est à Rome que tu vas! Oh! bonheur! Mon Dieu,
je vous remercie! Jacques, Jacques; moi aussi je vais
à Rome. Nous partirons avec toi. Je ne te quitterai
pas. Je serai près de toi. »

Ce fut au tour de Jacques de s'extasier sur son
bonheur, de témoigner sa joie avec une vivacité qui
prouva à Geneviève la tendresse qu'il lui portait. Ils se
mirent à faire de beaux projets pour leur voyage, leur
séjour à Rome, oubliant que Jacques y allait pour
combattre, et peut-être pour tomber martyr de sa
foi. Mais aucune pensée pénible ou effrayante ne vint
gâter leur bonheur du moment; ils ne cherchaient pas
à pénétrer dans un avenir plus éloigné.

Pendant qu'ils causaient de la vie charmante qu'ils
mèneraient à Rome, Mlle Primerose rentra.

MADEMOISELLE PRIMEROSE

Mes pauvres enfants, je vous ai fait attendre! Je
vous demande bien pardon. J'avais tant à courir, tant
à parler.

JACQUES

Attendre! Pas du tout, chère Madame. Il n'est pas
tard.

MADEMOISELLE PRIMEROSE

Il est presque sept heures et demie, mes enfants.
Vous n'avez donc pas faim?

GENEVIÈVE

Non, pas du tout, ma cousine.

MADEMOISELLE PRIMEROSE

Pas faim? Mais qu'as-tu, Geneviève? Comme tu as
l'air animé.

GENEVIÈVE

Je crois bien, ma cousine. Je suis si heureuse!
Figurez-vous que Jacques va à Rome; il est zouave
pontifical. Il part dans quinze jours environ, et nous
partirons avec lui.

MADEMOISELLE PRIMEROSE

Dans quinze jours? C'est bien peu de temps pour
mes affaires. Comme vous arrangez tout cela!

GENEVIÈVE

Ma bonne cousine, terminez tout bien vite, je vous
en supplie. Voyez quel avantage ce sera pour nous
d'avoir en voyage un homme pour nous protéger, vous
venir en aide, et un zouave surtout. »

Jacques et Mlle Primerose se mirent à rire de
l'anxiété de Geneviève et de son air suppliant.

MADEMOISELLE PRIMEROSE

Je tâcherai, ma chère petite; je ferai ce que je
pourrai, je vous le promets à tous deux. Mais dînons
vite; je meurs de faim, moi; je n'ai pas, comme toi,
un Jacques pour me faire oublier les heures. Jacques,
va voir, mon ami, pour qu'on serve tout de suite. »

Après dîner, Mlle Primerose demanda à Geneviève
ce qu'elle comptait faire de ses couleurs et pinceaux?

« Je veux faire le portrait de Jacques, ma cousine. Je tiens beaucoup à l'envoyer à sa mère avant le départ pour Rome.

MADEMOISELLE PRIMEROSE

Très bien, ma fille; mais Jacques trouvera-t-il le temps de poser?

JACQUES

En me levant de bon matin pour terminer mes affaires, j'aurai toujours trois ou quatre heures à donner à Geneviève. »

Les choses ainsi arrangées, ils descendirent tous au jardin pour prendre l'air. Ils parlèrent de leur voyage.

Le lendemain, Geneviève se leva très gaie, après avoir passé une très bonne nuit; elle déjeuna de fort bon appétit et elle se mit à esquisser de mémoire le portrait de Jacques.

Pendant qu'elle dessinait, Mlle Primerose se mit à travailler près d'elle.

« Geneviève, dit-elle, tu sais que j'ai été voir Mme de Saint-Aimar la veille de notre départ.

GENEVIÈVE

Oui, ma cousine.

MADEMOISELLE PRIMEROSE

Mais, je n'ai pas eu le temps de te faire sa commission. Elle m'a chargée de te dire que son fils Louis t'aimait de tout son cœur et qu'il te demandait en mariage.

GENEVIÈVE

Lui aussi! Pauvre garçon! je l'aime beaucoup; il est très bon, et Hélène aussi est très bonne.

MADEMOISELLE PRIMEROSE

Alors accepterais-tu la proposition de Mme de Saint-Aimar?

GENEVIÈVE

D'épouser Louis? Certainement non.

MADEMOISELLE PRIMEROSE

Pourquoi cela, puisque tu l'aimes beaucoup?

GENEVIÈVE

Je l'aime comme un ami que je vois avec plaisir, mais je ne l'aimerai pas du tout comme mari.

MADEMOISELLE PRIMEROSE

Tu dis pourtant qu'il est très bon.

GENEVIÈVE

Certainement il est bon; mais je ne suis pas obligée d'épouser tous ceux qui sont bons.

MADEMOISELLE PRIMEROSE

Mais Louis n'est pas tout le monde; il est, comme Jacques, ton ami d'enfance.

GENEVIÈVE

Comme Jacques! Oh! ma cousine! comment pouvez-vous comparer? Comme Jacques! Ce n'est pas du tout la même chose.

MADEMOISELLE PRIMEROSE

Je ne vois pas la grande différence; il est d'une bonne famille comme Jacques, joli garçon comme Jacques, très bon, avec une fortune supérieure à celle de Jacques, t'aimant beaucoup comme Jacques.

GENEVIÈVE

Tout cela est possible, mais je ne l'aime pas, je ne l'aimerai jamais, et il ne m'aime pas comme m'aime Jacques; je le vois, je le sens, je le sais.

MADEMOISELLE PRIMEROSE

Alors tu refuses?

GENEVIÈVE

Très positivement; et s'il continue à m'aimer trop, je ne l'aimerai plus du tout.

MADEMOISELLE PRIMEROSE

Oh! oh! Comme te voilà fâchée! Tu es rouge de colère! Ecoute; je te propose une chose qui me paraît très bien : parles-en à Jacques, consulte-le; tu te décideras d'après ce qu'il te dira.

GENEVIÈVE

Oui, s'il me conseille de refuser; non, s'il me conseille d'accepter.

MADEMOISELLE PRIMEROSE

Mais si tu refuses ainsi de bons partis, tu finiras par rester vieille fille.

GENEVIÈVE

Tant mieux; je me ferai sœur de charité et j'irai soigner les zouaves de Rome.

MADEMOISELLE PRIMEROSE

Très bien, ma fille; c'est une très belle vocation, contre laquelle je ne lutterai certainement pas. Au reste, voici tout juste notre conseiller qui arrive. Bonjour, Jacques; déjeunes-tu avec nous?

JACQUES

Si vous voulez bien le permettre.

MADEMOISELLE PRIMEROSE

Avec grand plaisir; tu manges chez nous, c'est convenu. Je vais voir Pélagie et je reviens. »

XXIX

JACQUES ET GENEVIÈVE S'ENTENDENT A L'AMIABLE

Quand Mlle Primerose fut partie, Jacques s'approcha vivement de Geneviève.

JACQUES

Tu ne me dis rien, Geneviève? Mais comme tu as l'air triste? Qu'y a-t-il, mon amie? Une nouvelle contrariété?

GENEVIÈVE

Je crois bien, et une très grande! Ne voilà-t-il pas ma cousine qui veut que je me marie!

IACQUES, *inquiet.*

Que tu te maries! à dix-huit ans! mais c'est trop jeune, beaucoup trop jeune!

GENEVIÈVE

N'est-ce pas, mon bon Jacques? A la bonne heure! tu es raisonnable, toi.

JACQUES

Mais qui veut-elle te faire épouser?

GENEVIÈVE

Louis de Saint-Aimar! Et sais-tu ce qu'elle dit : que c'est mon ami d'enfance comme toi, qu'il est bon comme toi, et enfin qu'il m'aime autant que tu m'aimes. »

Jacques avait approché sa chaise et s'était assis près de Geneviève. A cette dernière assertion de Mlle Primerose, il saisit la main de Geneviève et s'écria :

« Ce n'est pas vrai! C'est impossible!

GENEVIÈVE, *affectueusement.*

N'est-ce pas, mon ami, que c'est impossible? Je le lui ai déjà dit, parce que je vois et je sens combien tu m'aimes, et que ce Louis ne peut pas m'aimer comme toi qui es mon frère, mon ami, le bonheur de ma vie.

JACQUES

Oh! Geneviève, que tes paroles me font de bien! Comme je t'aime, ma Geneviève, ma sœur, mon amie!

GENEVIÈVE

N'est-ce pas que tu me conseilles de refuser ce mariage qui me rendrait si malheureuse en me séparant de toi? Réponds-moi, Jacques : dis-moi que je ne peux pas, que je ne dois pas y consentir.

JACQUES

Chère Geneviève, en fait de mariage, il faut suivre l'impulsion de son cœur d'accord avec la raison. Si Louis ne te plaît pas...

GENEVIÈVE

Il me déplaît horriblement depuis que je sais qu'il prétend m'aimer; s'il persiste, je le détesterai.

JACQUES, *souriant.*

Non, ne le déteste pas : ce ne serait pas juste; il ne persistera pas; je le sais trop honnête homme et trop ton ami pour ne pas abandonner son projet quand il saura que tu le repousses.

GENEVIÈVE

Merci, Jacques; merci, mon ami. Je ferai part de ton excellent conseil à ma cousine. »

Mlle Primerose rentra.

MADEMOISELLE PRIMEROSE

Ah! voilà Mlle Geneviève qui a repris son air doux et calme comme d'habitude. Quand tu es arrivé, elle avait un air presque furieux. Elle t'a consulté, à ce que je vois.

GENEVIÈVE

Et Jacques est de mon avis, ma chère cousine; et je vous demande de vouloir bien écrire le plus tôt possible à Mme de Saint-Aimar que je ne veux pas me marier...

MADEMOISELLE PRIMEROSE

Parce que tu veux te faire sœur de charité pour soigner les zouaves pontificaux. C'est bien ce que tu me disais, n'est-ce pas?

GENEVIÈVE

Oui, ma cousine; mais il est inutile d'en faire part à Mme de Saint-Aimar.

D'autant que ton projet ne s'exécutera pas. Mais allons déjeuner, nous en recauserons après. »

En effet, après le déjeuner, qui fut très gai, on reprit la conversation, et Mlle Primerose s'amusa à les taquiner en leur proposant à tous deux des mariages qu'elle trouvait charmants, excellents. Après une heure de cet exercice, elle dit à Geneviève :

« Voyons, nous perdons notre temps à dire des niaiseries. Toi, Geneviève, tu vas te remettre à ton portrait; seulement toi, Jacques, tu feras bien de te mettre en face d'elle et non à côté : ce serait poser dans le genre de Rame, qui voulait toujours voir ce que faisait *petite Maîtresse*, tout en posant. Mais, avant de commencer la séance, j'ai à te consulter Jacques, sur une affaire très importante. Comme tu as fait ton droit, tu sauras me donner un bon conseil.

JACQUES

Très volontiers, chère mademoiselle; je suis à vos ordres.

MADEMOISELLE PRIMEROSE

Je ne le garderai pas longtemps, Geneviève; prépare, en attendant, le fond du dessin. »

XXX

EXPLICATION COMPLÈTE

Quand Mlle Primerose fut chez elle avec Jacques, elle lui dit :

« C'est vrai, Jacques, que j'ai à te parler sérieusement; prends ce fauteuil et réponds-moi franchement. Devines-tu pourquoi Geneviève refuse si vivement de se marier? »

Jacques hésita quelques instants.

JACQUES

Elle ne me l'a pas dit.

MADEMOISELLE PRIMEROSE

Eh bien! moi je te le dirai : elle refuse et elle refusera avec irritation toute proposition de mariage, parce qu'il n'y en a qu'une qu'elle accepterait avec

Tu ne me trouve plus trop jeune pour me marier ?
(P. 220.)

bonheur, mais qui ne lui a pas été faite : c'est la tienne.

JACQUES

La mienne! moi! Je ne peux pas la faire, je ne la ferai pas.

MADEMOISELLE PRIMEROSE

Pourquoi cela, Monsieur le nigaud?

JACQUES

Parce qu'elle est riche et que je ne le suis pas; je ne veux pas que ma femme et sa famille puissent me soupçonner d'avoir fait un mariage d'argent.

MADEMOISELLE PRIMEROSE

Que tu es bête, mon pauvre garçon! Qui pourra te soupçonner d'un aussi ignoble sentiment? En voyant Geneviève, qui pourra douter que tu n'aies été subjugué par tant de charmes? Qui pourra ignorer que vous vous aimez depuis l'enfance, que votre tendresse a grandi avec vous, et que Geneviève elle-même t'aime autant que tu l'aimes? Qu'importe que tu sois moins riche qu'elle? Tu lui apportes bien d'autres avantages cent fois plus précieux qu'une fortune dont elle n'aurait que faire; par-dessus tous les autres, une belle réputation méritée depuis ton enfance, et des qualités personnelles devenues si rares maintenant et qui assurent le bonheur d'une femme.

JACQUES

Chère, chère mademoiselle, que vous me rendez heureux! Vous croyez vraiment que je puis espérer d'être agréé par ma chère bien-aimée Geneviève?

qu'elle ne me repoussera pas comme elle l'a fait pour les autres propositions très belles que vous lui avez fait connaître?

MADEMOISELLE PRIMEROSE

J'en suis certaine, mon ami. Il y a longtemps que je vois se développer en vous deux ce sentiment que j'ai favorisé de mon mieux; j'aurais voulu attendre un an ou deux pour vous ouvrir les yeux, mais l'aventure de Plaisance rend le mariage, c'est-à-dire l'émancipation de Geneviève, plus urgent.

Lorsque Jacques rentra dans le salon, son visage exprimait un tel bonheur que Geneviève en fut frappée.

GENEVIÈVE

Que t'a dit ma cousine, Jacques? Tu as un air ravi, heureux; qu'est-ce que c'est?

JACQUES

C'est le bonheur de ma vie, la fin de toutes mes anxiétés, ma Geneviève chérie, et c'est à genoux que je dois te demander de ratifier les paroles de ta cousine. »

Et, se mettant effectivement à genoux près de Geneviève étonnée, il ajouta :

« Elle m'a dit, Geneviève, que tu m'aimais...

GENEVIÈVE

Comment! c'est une nouvelle pour toi?

JACQUES

Je sais bien que tu m'aimes; mais elle a ajouté que tu avais refusé Louis et d'autres qu'elle t'a nommés parce que... parce que...

GENEVIÈVE

Mais parle donc, Jacques; tu me mets à la torture.

JACQUES

Parce que tu n'aimais que moi, et que si je t'adressais la même demande que Louis, tu l'accepterais sans hésiter.

GENEVIÈVE

Toi! toi! et tu as pu en douter?

Jacques la serra avec transport contre son cœur.

GENEVIÈVE, *avec malice.*

Tu ne me trouves donc plus trop jeune pour me marier? Je n'ai pourtant pas beaucoup vieilli depuis le déjeuner.

JACQUES

Je voulais, sans m'en rendre compte, éloigner le plus possible un événement fatal pour moi, puisqu'il t'enlevait à ma tendresse; j'aurais trouvé des obstacles à tout; je trouvais surtout que tu n'avais pas encore assez vécu pour moi seul.

GENEVIÈVE

Et je n'aurais jamais consenti à vivre pour un autre que toi, mon ami; cette vive affection devait rester dans l'avenir ce qu'elle a été jusqu'ici, concentrée sur toi seul. »

Il ne fut plus question de portrait ce jour-là; ils avaient devant eux trois ou quatre heures de liberté pour causer plus confidentiellement encore de leur avenir. Ils convinrent qu'ils ne déclareraient pas leur mariage avant que l'affaire de Rome fût résolue.

« Il y aura, dit Jacques, de durs moments à passer; nous combattrons jusqu'à ce que Dieu nous rappelle tous à lui, ou bien jusqu'à l'anéantissement de ses ennemis, qui amènera la délivrance du Saint-Père et de Rome. Tu prieras pour nous, ma Geneviève...

GENEVIÈVE, *tristement.*

Pour toi surtout, Jacques, afin que le bon Dieu te préserve dans les terribles combats que tu auras à soutenir pour sa cause. »

Jacques quitta Geneviève avant le retour de Mlle Primerose; dès qu'il fut parti, elle appela Pélagie et Rame.

« Mes bons amis, dit-elle, venez, que je vous apprenne une grande nouvelle. Je me marie. »

Pélagie devina sans peine que c'était Jacques qui était le mari choisi par Geneviève, elle la prit dans ses bras et l'embrassa plusieurs fois :

« Sois bénie, ma chère enfant; tu ne pouvais mieux choisir; tu seras heureuse; le bon Dieu bénira cette union. »

Rame ne bougeait pas; il regardait tristement sa chère maîtresse et ne disait rien.

GENEVIÈVE

Tu ne parles pas, mon bon Rame; tu n'es pas content de mon bonheur?

RAME

Moi content si jeune Maîtresse content; mais moi penser à ce pauvre Moussu Jacques. Lui tant aimer petite Maîtresse! Lui malheureux, pauvre Moussu Jacques!

GENEVIÈVE

Jacques malheureux! Il est enchanté : c'est lui qui sera mon mari.

RAME

Moussu Jacques! Oh bonne petite Maîtresse! Rame heureux, Rame toujours rester avec jeune Maîtresse comme avant, Rame toujours aimer jeune Maître. »

XXXI

AFFAIRES TERMINÉES
CORRESPONDANCE AIGRE-DOUCE

Le lendemain, Mlle Primerose rentra un peu troublée, longtemps avant le dîner.

« Mes enfants, dit-elle à Geneviève et à Jacques qui l'attendaient en causant, il faut que j'écrive à votre coquin d'oncle pour avoir son consentement au mariage de Geneviève; je viens de chez le notaire qui est son subrogé tuteur; il m'a dit avoir su par M. Dormère que j'emmenais Geneviève à Rome, que son oncle comptait s'opposer à ce départ et reprendre sa nièce chez lui jusqu'à sa majorité, qu'il en avait le droit et qu'il en userait. Vous devinez comment j'ai

reçu cette communication. J'ai raconté alors dans tous
ses détails à ce notaire, qui est un brave homme, les
procédés soi-disant paternels de cet homme abominable; j'ai terminé par le récit du vol commis par son
fils et attribué au pauvre Rame; et comme il ne
pouvait croire à de pareilles iniquités, j'ai tiré de mon
portefeuille la lettre écrite par cet horrible Georges et
je la lui ai fait lire. Il en a été aussi indigné que nous
l'avons tous été.

GENEVIÈVE

Quelle lettre, ma cousine? Comment se trouve-t-elle
entre vos mains.

MADEMOISELLE PRIMEROSE

Celle que ce monstre a osé t'écrire pour te demander
ta main; tu l'as laissée dans ta chambre. Je l'ai vue,
j'ai reconnu l'écriture, je l'ai lue et je l'ai emportée en
remerciant Dieu d'avoir mis entre mes mains une
preuve (la seule que nous ayons) de la scélératesse de
ce misérable. Je suis ressortie aussitôt pour que tu
ne puisses deviner que c'était moi qui la tenais. — J'ai
raconté à ton subrogé tuteur ta cruelle et longue
maladie qui t'avait mise si près de la mort. Il est
convenu que M. Dormère, après une pareille conduite,
devait être dépossédé de sa tutelle, mais qu'il faudrait
pour cela que je lui intentasse un procès qui
amènerait le déshonneur de son fils. Que pour éviter
ce malheur, il valait mieux lui écrire pour avoir son
autorisation tant pour le voyage à Rome que pour le
mariage avec Jacques, et il m'a conseillé de le faire
le plus tôt possible et dans les termes les plus doux,

sans reproches et sans témoigner aucune incertitude de son consentement. Il viendra demain chez moi pour voir Geneviève et Jacques et faire connaissance avec sa pupille et son fiancé. Je lui ai laissé la lettre de ce scélérat de Georges, afin qu'il la garde comme pièce de conviction. Je vais écrire tout de suite à votre misérable oncle, et nous verrons s'il osera me refuser. »

Mlle Primerose sortit.

GENEVIÈVE

Mon Dieu, mon Dieu! encore des chagrins, des inquiétudes.

JACQUES

Ne t'effraye pas, ma bien-aimée Geneviève; notre oncle ne peut pas refuser son consentement; quand il connaîtra la lettre de son infâme Georges, il se gardera bien de provoquer un procès qui lui démontrera clairement ce qu'est son fils. J'avoue que j'éprouve une grande satisfaction en pensant à ses regrets, à ses remords quand il verra si évidemment comment il a payé ton noble et généreux silence. Je puis te dire jusqu'à quel point je me sens indigné, révolté quand j'arrête ma pensée sur la conduite de mon oncle et de son fils à ton égard. Toi si douce, si bonne, si vraie! Aussi je bénis l'excellente Mlle Primerose de s'être chargée de toi; je sais qu'elle a des défauts; qui est-ce qui n'en a pas? Mais quand je vois son dévouement, son affection, je ne puis qu'excuser ses imperfections et sentir augmenter pour elle ma tendresse et ma reconnaissance.

GENEVIÈVE

Mon bon, mon cher Jacques, que tu es bon! Comme j'ai raison de t'aimer de toutes les forces de mon cœur. »

Mlle Primerose rentra tenant une lettre à la main.

MADEMOISELLE PRIMEROSE

Tenez, mes enfants, voici ce que je lui écris; vous êtes intéressés dans cette affaire; je désire avoir votre approbation :

« Mon cousin,

(J'ai eu de la peine à lui donner ce nom.)

« Je vous écris comme au tuteur de ma chère Geneviève; sa santé très ébranlée demande un changement d'air, de climat et une suite de distractions; j'ai pensé à un séjour à Rome, et je désire avoir votre consentement (toujours comme tuteur) pour ce long voyage. — Je vous adresse par la même lettre une seconde demande plus importante encore. Elle aime depuis son enfance votre neveu Jacques de Belmont; leur tendresse est réciproque, et cette union est considérée par eux et par moi comme devant faire le bonheur de leur vie. Je ne doute pas de votre consentement, mais je désire l'avoir par écrit, pour agir à coup sûr. Ayez l'obligeance de me répondre courrier par courrier, car j'ai hâte d'emmener Geneviève dans un climat approprié à son état de santé.

« Veuillez croire que cette lettre, importune, je le crains, m'est dictée par une absolue nécessité, et agréez l'assurance de tous mes sentiments.

« CUNÉGONDE PRIMEROSE. »

JACQUES

Très bien, très bien, chère mademoiselle; elle est polie tout en étant froide comme elle doit l'être. Il ne peut pas vous refuser; vous aurez une bonne réponse.

XXXII

NOUVELLE INQUIÉTUDE

Le lendemain de la visite du notaire, Mlle Primerose reçut de M. Dormère la lettre suivante :

« Ma cousine,

« Je reçois votre lettre et je m'empresse d'y répondre par un refus absolu à vos deux demandes. Votre voyage à Rome est complètement inutile pour la santé de ma nièce; le changement d'air que vous jugez nécessaire me décide à la rappeler à Plaisance; veuillez lui dire que dans huit jours je l'enverrai chercher; mon fils Georges l'accompagnera jusque chez moi. Veuillez aussi lui faire savoir que je n'ai besoin ni de son nègre, ni de sa bonne, qui se permettent de tenir sur le compte de mon fils des propos que je ne puis tolérer. Je me charge de lui procurer une femme de chambre qui saura conserver le respect qu'un domestique doit à ses maîtres. Quant à ce mariage dont vous me parlez, c'est des deux côtés, un enfantillage qui ne demande qu'un *non* très accentué et irrévocable. Vous connaissez aussi bien que ma nièce mes intentions à l'égard de son mariage; elles s'exécuteront plus tard, à moins qu'elle ne m'oblige à la faire renfermer dans un couvent jusqu'à sa majorité. Recevez, ma cousine, l'assurance de tous mes sentiments.

« L. DORMÈRE. »

Le visage de Mlle Primerose exprima une telle irritation, que Jacques et Geneviève s'empressèrent de lui demander ce qu'était cette lettre qui paraissait l'impressionner si vivement.

MADEMOISELLE PRIMEROSE

C'est la réponse de M. Dormère; elle est telle que je vous l'avais annoncée, mais plus méchante et plus sotte encore que je ne le supposais. Je ne le croyais pas aussi ignoble. Je vais la porter à notre bon notaire et je lui demanderai d'aller lui-même à Plaisance dès demain, pour en finir avec ces misérables, et il se chargera de ma réponse, que je vais écrire immédiatement. »

Pendant que Jacques cherchait à calmer les terreurs de la pauvre Geneviève, Mlle Primerose écrivait à son odieux cousin la lettre suivante :

« Monsieur,

« Il y a trop longtemps que je vous connais dépourvu d'esprit, de délicatesse et de cœur, pour n'avoir pas prévu un refus : mais vous avez passé toutes mes prévisions. La pensée infernale que vous avez conçue de livrer votre nièce à un infâme scélérat, ou de l'enfermer dans un couvent, n'aura pas son exécution. Le subrogé tuteur de Geneviève vous porte les preuves de votre propre infamie quand vous avez osé accuser le serviteur de votre innocente et trop généreuse nièce de vous avoir soustrait vos dix mille francs qu'elle savait vous avoir été *volés* par votre misérable fils. Si vous ne signez pas, *séance tenante*, votre désistement de votre odieuse tutelle et la reddition de vos comptes de tutelle, je déposerai après-demain ma demande motivée chez le procureur impérial; et votre nom sera justement déshonoré ainsi que votre personne et celle de votre fils, ce qu'avait voulu empêcher ma noble Geneviève en vous cachant le nom du voleur et en vous suppliant, prosternée à vos pieds, de *sauver l'honneur de votre maison.*

« Je ne veux plus avoir affaire directement à vous et je vous défends de m'écrire.

« Cunégonde Primerose. »

XXXIII

LA PUNITION

M. Dormère était seul; il se promenait avec agitation dans sa bibliothèque.

« Georges devient intolérable; il me dépense un argent fou. Il va sans cesse à Paris, où il fait cinq cents sottises : je le sais par mes amis. Et puis il devient tellement menteur que je ne puis ajouter foi à rien de ce qu'il dit. Je suis seul, toujours seul. Mes voisins même ne viennent plus me voir; ils me jettent tous à la tête cette Geneviève qu'ils osent plaindre à ma barbe, et ce malheureux Georges dont ils disent un mal affreux! Hélas! ma vieillesse ne sera pas heureuse. Quand je tiendrai cette sotte Geneviève, je saurai bien la forcer à épouser Georges. Et quand il m'aura ruiné, il aura du moins la fortune de cette péronnelle. »

La porte s'ouvrit; Julien annonça :
« Le notaire de Monsieur. »

M. DORMÈRE

Bonjour, mon cher; par quel hasard arrivez-vous si tard? Venez-vous dîner avec moi?

LE NOTAIRE

Non, Monsieur, je viens vous apporter quelques papiers importants. Mais je dois, avant tout, vous remettre une lettre de Mlle Primerose.

M. DORMÈRE

Que me veut cette bavarde?

LE NOTAIRE

Lisez, Monsieur, vous verrez. »
M. Dormère ouvrit la lettre...
« Joli style! elle est vexée, furieuse, tant mieux. Je lirai plus tard ces sottises. Voyons vos papiers. »

LE NOTAIRE

Pardon, Monsieur. Veuillez d'abord terminer la lettre.

M. DORMÈRE

Quelle insistance! »
M. Dormère continua la lecture de cette lettre. A mesure qu'il avançait, son visage se décomposait et devenait tantôt pourpre, tantôt d'une pâleur mortelle. Il la lut pourtant jusqu'à la fin, puis il se renversa dans son fauteuil et resta quelques instants sans pouvoir articuler une parole. Enfin il dit d'une voix rauque :
« La preuve, Monsieur;... la preuve...

LE NOTAIRE

La voici, Monsieur. Je dois vous prévenir que,

Pardon, Monsieur. Veuillez d'abord
terminer la lettre ! (P. 232.)

redoutant un premier mouvement, j'ai gardé l'original signé de votre fils et je ne vous en apporte qu'une copie. »

Le notaire tendit la lettre, M. Dormère la saisit et ne put d'abord la lire, tant il était troublé par l'émotion et la colère. Il se remit pourtant et parvint à la déchiffrer jusqu'au bout.

LE NOTAIRE

Eh bien! Monsieur, êtes-vous convaincu maintenant de l'infamie de votre fils, de la grandeur d'âme et de l'héroïsme de votre nièce?

M. DORMÈRE

Ah! par pitié, ne m'accablez pas... Mon fils... mon Georges que j'ai tant aimé. Et n'avoir rien dit,... pas un mot, pendant que cette fille se compromettait pour lui.

LE NOTAIRE

Pas pour lui, Monsieur. Pour vous!...

M. DORMÈRE

Pour moi!... Que n'ai-je pu l'aimer,... elle se serait dévouée pour moi... Elle aurait épousé Georges.

Jamais, Monsieur; elle avait pour lui trop de mépris et d'antipathie.

M. DORMÈRE

Que faire, mon Dieu, que faire?... Quel coup! — Mais non, je ne puis croire... Faites venir Georges, il est chez lui. »

Le notaire sortit et rentra peu d'instants après avec Georges.

GEORGES, *d'un air dégagé.*

Vous me demandez, mon père?

M. DORMÈRE

Oui, Monsieur. Lisez cette lettre de votre cousine
Primerose. » Il lui donne la lettre.

GEORGES, *après avoir lu.*

Vous ne croyez pas, je pense, aux sottises que vous
raconte Mlle Primerose?

M. DORMÈRE

Vous niez ce dont elle vous accuse?

GEORGES, *avec calme.*

Complètement; sa lettre est absurde.

M. DORMÈRE

Nierez-vous aussi la vôtre? »
Il lui présente la copie de sa lettre.

Georges la prit, visiblement troublé; il se remit
pourtant en la lisant et la rendit avec calme.

GEORGES, *souriant.*

C'est une lettre forgée, mon père; ce n'est ni mon
écriture ni ma signature.

LE NOTAIRE

Mais j'ai l'original entre les mains, Monsieur, j'en
ai fait tirer une copie.

GEORGES

Pourquoi cette précaution, Monsieur?

LE NOTAIRE

Parce que j'ai craint, Monsieur, que vous ou
monsieur votre père vous ne la détruisiez pour enlever

à votre malheureuse cousine la seule preuve qu'elle pût produire de votre culpabilité.

GEORGES

Quelle admirable prévoyance dans une jeune personne soi-disant mourante.

LE NOTAIRE

Ce n'est pas à elle, Monsieur, qu'en revient l'honneur; c'est à Mlle Primerose, qui vous connaît à fond. »

Georges s'inclina d'un air moqueur.

LE NOTAIRE

Maintenant, Monsieur, veuillez me permettre de continuer l'affaire que j'ai à terminer avec Monsieur votre père, auquel j'ai quelques questions à adresser.

« Consentez-vous à renoncer à la tutelle de Mlle Geneviève Dormère?

M. Dormère signa sans objection ce qu'il lui présenta et resta dans un état de torpeur et d'anéantissement complet.

XXXIV

DÉCISION IMPRÉVUE

On attendait avec impatience des nouvelles de Plaisance; le notaire fut exact au rendez-vous.

MADEMOISELLE PRIMEROSE

Eh bien! cher monsieur, quelles nouvelles?

LE NOTAIRE

Victoire complète, mais pas sans combat. Pour ne pas vous faire languir, voici l'acte de résiliation de la tutelle et le consentement au mariage, qu'il a signé sans savoir ce qu'il signait. Voici les comptes de la tutelle, parfaitement en règle; je les ai parcourus en wagon. Vous avez, ma chère pupille, quatre-vingt-dix mille francs de rente. Vous devriez en avoir plus de cent, avec les économies et les intérêts depuis douze ans; mais si vous m'en croyez, nous ne ferons pas de chicanes là-dessus. M. Dormère est dans un état

d'accablement qui lui ôterait la force de supporter un
nouveau coup.

MADEMOISELLE PRIMEROSE

Voilà le fruit de l'éducation insensée et coupable
que lui a donnée ce malheureux homme. Jolie
vieillesse qu'il s'est préparée!

« A présent, cher monsieur, j'ai aussi des affaires à
régler; aurez-vous l'obligeance de passer dans ma
chambre pour que nous en causions à notre aise?

LE NOTAIRE

Je suis à vos ordres, Mademoiselle. »

Ils quittèrent le salon, laissant Geneviève et Jacques
causer de ce qui les intéressait, car pour hâter leur
bonheur complet, ils avaient décidé de se marier
avant le départ pour Rome.

XXXV

LE MARIAGE

Deux jours après, Geneviève reçut une lettre de Jacques; il avait enlevé facilement le consentement de ses parents, qui désiraient depuis longtemps que l'amitié d'enfance finît par un heureux mariage.

Huit jours après, M. et Mme de Belmont arrivèrent avec leurs enfants. Ce fut une grande joie pour les deux familles. Malgré le peu de temps qui restait à Mme de Belmont avant le mariage, elle offrit à Geneviève une très jolie corbeille, composée de beaux bijoux, de dentelles, de châles et de ce qu'on met en général dans les corbeilles. Le mariage se fit le matin à dix heures, sans cérémonie, sans invitations, sans tout ce qui fait de ce jour une corvée générale. On déjeuna et on dîna en famille. Deux jours après, M. et Mme de Belmont retournèrent à la campagne;

l'heureux Jacques et l'heureuse Geneviève passèrent encore dix jours à Paris, et partirent pour Rome avec Mlle Primerose, Pélagie, le fidèle Rame et Azéma.

L'hiver se passa sans combats sérieux; quelques faits d'armes, toujours glorieux pour les braves troupes pontificales, ne furent que le prélude nécessaire des deux grandes batailles de Mentana et de Monte Rotondo, qui couvrirent d'une gloire immortelle ces jeunes soldats héroïques et fidèles, toujours un contre dix.

Jacques avait plus d'une fois dû quitter Rome pour prendre part à des escarmouches, où il se fit toujours remarquer par une bravoure et un entrain tout français.

Geneviève avait supporté ces séparations et ces inquiétudes avec le courage d'une femme chrétienne. Mais quand, à l'automne suivant, vint l'annonce d'une compagne et de batailles en règle, et la nécessité d'une séparation immédiate, sa douleur fut plus forte que sa volonté; elle donna libre cours à ses larmes.

« Ma Geneviève, ma bien-aimée, lui dit Jacques au moment du départ, n'affaiblis pas mon courage par la pensée de ta douleur. Ne perdons pas notre confiance dans le Dieu tout puissant qui m'a déjà tant de fois protégé contre les balles ennemies; souviens-toi de la bénédiction toute particulière que nous avons reçue ensemble du Saint-Père; il nous a promis de prier pour nous. Que ce souvenir soutienne tes forces, ma bien-aimée!

GENEVIÈVE

Oh! Jacques, mon amour, ma vie, tu seras seul dans

ces terribles combats; personne pour veiller sur toi; personne pour te ramasser si tu tombes victime de ton courage.

« Pardon, petite Maîtresse; Rame zouave, Rame veiller sur jeune Maître. Rame pas laisser tuer jeune Maître. Moi pas quitter, moi mourir pour jeune Maître. »

Geneviève jeta les yeux sur Rame aux premières paroles qu'il avait prononcées; il était vêtu en zouave; car il avait été s'engager en demandant la faveur de ne jamais quitter son jeune sergent; elle lui fut facilement accordée. Il était déjà connu dans le corps des zouaves; on savait l'histoire de son dévouement pour Geneviève, et chacun lui portait intérêt.

Geneviève quitta Jacques pour se jeter dans les bras de Rame :

« Mon bon Rame, mon ami fidèle et dévoué, merci, mille fois merci; je t'aime, mon cher Rame; plus que jamais, ton dévouement me rassure, me console; que Dieu daigne te bénir et te ramener près de moi avec mon bien-aimé Jacques! »

Rame pleurait et baisait les mains de sa chère jeune maîtresse avec une reconnaissance égale à son dévouement.

« Adieu, mon amie, ma femme chérie, dit Jacques en la serrant contre son cœur; prie pour moi, pour nous; je t'aime. — Adieu. »

Et il s'arracha des bras de Geneviève. Elle poussa un cri douloureux : « Jacques, mon Jacques! » Et elle s'affaissa évanouie sur le tapis. Jacques revint à elle, la prit dans ses bras, la posa sur un canapé, l'embrassa

encore dix fois, cent fois, appela Pélagie et s'éloigna
suivi de Rame, qu'il remercia d'un serrement de main.

Chacun sait la glorieuse histoire de cette courte
campagne, qui se termina par les deux magnifiques et
meurtriers combats de Mentana et de Monte Rotondo.
Pendant trois jours, quatre mille hommes, qui compo-
saient l'armée pontificale, luttèrent sans repos contre
quinze à vingt mille révolutionnaires bien armés, bien
repus et commandés par des officiers italiens.

La victoire des pontificaux fut complète, grâce à la
courageuse intervention de nos braves soldats français, heureusement arrivés et débarqués à temps pour
compléter la déroute honteuse des misérables bandits.

Le combats était fini; les saintes sœurs de charité,
de saints prêtres et prélats continuaient à parcourir le
champ de bataille pour ramasser les blessés, les
secourir et les porter aux ambulances. Mgr B...,
aumônier en chef des zouaves pontificaux, n'avait pas
quitté le lieu du combat; dès le commencement il
courait à ceux qui tombaient, les bénissait, leur donnait la dernière absolution; il indiquait aux sœurs les
blessés qui pouvaient encore profiter de leurs soins.
Vainement on lui représentait que les balles pleuvaient
autour de lui, qu'il pouvait en être atteint.

« Mes braves troupes font leur métier, répondait-il;
laissez-moi faire le mien. Ils meurent pour leur Dieu;
moi je les fais vivre pour le bonheur éternel. »

XXXVI

GRAND CHAGRIN

A la fin de la bataille, Mgr B... s'approcha d'un monceau de cadavres, parmi lesquels quelques blessés respiraient encore. Après en avoir confessés et absous plusieurs, il reconnut le corps de Rame qui recouvrait un zouave. Il frémit, car il connaissait et affectionnait beaucoup Jacques et Geneviève. Il retira vivement le pauvre nègre, qui ne donnait que de faibles signes de vie : une balle lui avait traversé la poitrine; sous Rame était Jacques inondé de sang, mais respirant encore.

« Jacques, s'écria-t-il, Jacques! » Il appela deux soldats français qui cherchaient comme lui à sauver les blessés.

« Mes bons amis, emportez avec soin ce pauvre jeune homme blessé; c'est un Français, un brave comme vous; portez-le à l'ambulance des sœurs; emportez aussi ce pauvre nègre qui respire encore. Attendez; il saigne, il a une blessure à la poitrine; je vais bander la plaie avec mon mouchoir pour arrêter le sang. »

Les soldats exécutèrent les ordres de Mgr B... Jacques fut porté à l'ambulance, où il reçut les premiers soins. Il ouvrit les yeux et les referma aussitôt en murmurant le nom de Geneviève.

Quand Mgr B... eut achevé sa tâche, il demanda une voiture; un grand nombre de dames et de seigneurs romains avaient envoyé tous leurs équipages pour le transport des blessés. Il fit déposer Jacques dans une de ces voitures, y monta avec lui et dit au cocher de le mener piazza Colonan, palazzo Brancadoro. Il donna ordre qu'on portât le nègre à l'hôiptal pour y être soigné. Arrivé dans la cour, il monta promptement, prévint Mlle Primerose qu'il ramenait Jacques blessé, qu'elle eût à préparer Geneviève à ce douloureux événement pendant qu'il ferait monter le blessé sur un matelas.

Mlle Primerose dit à Pélagie de préparer un lit pour coucher Jacques et entra chez Geneviève, qu'elle trouva affaissée sur ses genoux aux pieds de son crucifix.

« Geneviève, lui dit-elle en l'embrassant, tes prières ont été exaucées : le bon Dieu a préservé Jacques de la mort.

GENEVIÈVE

Préservé! Merci, mon Dieu! merci, ma bonne Sainte
Vierge! s'écria-t-elle en se prosternant jusqu'à terre.
La bataille est-elle gagnée?

MADEMOISELLE PRIMEROSE

Complètement; déroute complète des ennemis de
Dieu; mais beaucoup de morts, de blessés. Jacques
n'a pu échapper à une blessure. Tu vas le voir tout à
l'heure; mais sois calme : l'agitation pourrait lui faire
du mal.

GENEVIÈVE

Jacques blessé! Mon pauvre Jacques! La blessure
est-elle dangereuse?

MADEMOISELLE PRIMEROSE

Je ne sais; elle n'est probablement pas très grave,
puisqu'on peut l'amener jusqu'ici. Mais quand tu le
reverras, sois calme, mon enfant; de toi, de ton
courage, dépend sa prompte guérison.

GENEVIÈVE

Je serai calme; j'aurai du courage. Je veux le voir;
où est-il?

MADEMOISELLE PRIMEROSE

Monseigneur B... le fait apporter. Pélagie lui
prépare son lit. »

Au bout de deux mois Rame était guéri et rentré
chez ses jeunes maîtres. Jacques était bien rétabli, et
se préparait à se remettre en route pour Paris, en

congé de convalescence. Avant son départ, il alla avec Geneviève recevoir une dernière bénédiction du Saint-Père, dont il portait la décoration et dont il avait reçu le grade d'officier. Le Saint-Père remit à Geneviève son portrait en camée pour avoir aidé par ses tendres soins à sauver un de ses chers zouaves.

———

XXXVII

FIN DE M. DORMÈRE, DE GEORGES ET DU LIVRE

Le voyage fut long, à cause des ménagements que demandaient encore la santé de Jacques et celle de Rame; mais ils arrivèrent tous sans accident et s'établirent dans leur maison d'Auteuil, que Mlle Primerose avait achetée pour Jacques et Geneviève par l'entremise du subrogé tuteur.

Elle avait été arrangée à neuf. Le jeune ménage était logé au premier avec Pélagie. Le rez-de-chaussée était préparé avec les salons pour Mlle Primerose.

Ils apprirent en arrivant que M. Dormère avait été frappé de paralysie.

Tous les trois allèrent le voir à Plaisance; au lieu

du bel homme bien conservé, à cheveux noirs, à tournure élégante, ils trouvèrent un vieillard à cheveux blancs, paralysé des jambes et ne pouvant faire un mouvement sans l'aide de deux domestiques.

Il pleura beaucoup quand il les revit, demanda dix fois pardon à Geneviève et à Mlle Primerose de ses affreux procédés à leur égard. Il les supplia de ne pas l'abandonner.

Geneviève pleurait, Jacques était très ému; tous deux s'agenouillèrent près de lui et mêlèrent leurs larmes aux siennes.

« Mon oncle, dit Jacques, permettez-nous de vivre près de vous; Geneviève ne me démentira pas; elle est toujours l'ange que vous avez méconnu jadis.

MADEMOISELLE PRIMEROSE

Et moi, mon pauvre cousin, je joins ma demande à celle de mes enfants; je les aiderai dans leur besogne; je veillerai sur votre ménage, je serai votre secrétaire, votre femme de charge, tout ce que voudrez.

M. DORMÈRE

Excellente cousine, chers enfants, soyez bénis de votre offre généreuse. Oui, venez, venez tous chez moi, ne me quittez pas. Dieu récompensera votre dévouement. »

Après un séjour de deux heures, Jacques, Geneviève et Mlle Primerose s'en allèrent, lui promettant de revenir le lendemain dans l'après-midi. Il les remercia, en pleurant, du pardon qu'ils voulaient bien lui accorder, et qu'il ne méritait pas, disait-il.

Ils vinrent en effet le lendemain et changèrent, par

Ils apprirent que M. Dormère avait été frappé
de paralysie. (P. 247.)

leur présence, l'affreuse vie qu'il s'était faite, en une vie sinon agréable, du moins calme et tolérable.

Les jours s'écoulaient ainsi paisibles et presque heureux. Les seuls moments amers étaient ceux qui le reportaient sur son fils, lequel, depuis son départ, ne lui avait pas donné signe de vie.

Six mois après, il reçut une lettre cachetée de noir. Il l'ouvrit; elle était du consul de France à la Vera-Cruz et lui annonçait que son fils Georges Dormère était mort de la fièvre jaune, qu'il l'avait chargé de transmettre à son père l'expression de son repentir pour sa conduite à son égard, qu'il avait demandé et reçu les derniers sacrements, qu'il était mort dans de bons sentiments, demandant pardon dans son délire à tous ceux qu'il avait offensés, particulièrement à une demoiselle ou dame Geneviève, etc.

Une heure après, M. Dormère était frappé d'une nouvelle attaque d'apoplexie, qui termina sa vie et ses souffrances après deux jours de lutte.

Le notaire, immédiatement averti, se transporta sur-le-champ à Plaisance; il trouva dans le bureau du cabinet de travail un testament qui laissait à Jacques toute sa fortune, y compris le château de Plaisance, à charge à Jacques de faire à Mlle Primerose une rente viagère de vingt mille francs.

« Si je laisse ma fortune à Jacques, disait-il, au lieu de ma nièce chérie, Geneviève, c'est pour égaliser leurs fortunes; ma cousine Primerose trouvera dans la rente que je lui laisse une expiation de mon injustice et de mon ingratitude à son égard pendant les longues

années qu'elle a consacrées à l'éducation et au bonheur de ma nièce. »

Le chagrin de Jacques et de Geneviève fut vif;
Mlle Primerose trouvait dans cette fin prématurée du
père et du fils une terrible expiation de la faiblesse du
père qui avait contribué ainsi à la dépravation du fils.
Elle vit toujours avec ses jeunes cousins, qu'elle se
plaît à appeler ses enfants. Tous, y compris Rame et
Pélagie, sont aussi heureux qu'on peut l'être dans ce
monde et reconnaissent la vérité du proverbe :
APRÈS LA PLUIE LE BEAU TEMPS.

TABLE DES MATIÈRES

Imprimé en Belgique par les Et. Casterman, S.A., Tournai (1331).